第二次大戦終戦の錯誤

石塚康彦

東京図書出版

はじめに

真珠湾攻撃から三週間余りたった一九四二年一月一日、東郷茂徳外相は陸奥宗光の銅像の前で、「戦争を始めた以上は早速終戦の努力をしなければならない、それが外務省のつとめだ」という印象深い演説をしている。

思えば、第二次大戦より四十年近く前に行われた日露戦争（一九〇四〜一九〇五年）のときの同盟国は英国であった。当時の英国は世界の覇権国家であり、世界の四分の一の版図を押さえ、ポンドは世界の基軸通貨であった。そしてこの英国に加え米国にも戦費の調達や講和（仲介）に入ってもらっていた。

「戦争自体は五分五分プラスアルファで終結させ、最後は米国に仲介に入ってもらう」、日露戦争は、しっかりとしたストーリーの下で行われていた。しかし第二次大戦は、日露戦争の時の英国にあたる国が「持たざる国」ドイツであり、米国の役割を担ってくれる相手など最初から想定していなかった。そして、終戦の最終段階で、明治維新以降日本の仮想敵国であったソ連に和平の仲介をお願いすることになる。終戦の直前に中立条約を破り満州に侵攻したあのソ連に最後の最後になって縋っていたとは、三国同盟締結とならぶ日本外交史上の失策ではないか。

そもそも日本は、戦争終末をどのようなストーリーで考えていたのであるか。

開戦時の大本営作戦課長の要職にあった服部卓四郎は戦後、「ヨーロッパでドイツがソ連に続き、英国を屈服させるだろう。そして、英国が屈服すれば米国は孤立して、継戦意思を喪失し、日本との講和に応じてくるはずだ。日本の海軍はそれまでの期間は、持ち堪えるものと信じていた」と証言している。要は、日本の政戦略とは、ドイツ頼みであったのだ。国際情勢の変化を当てにした戦であった。

そのドイツは、一九四一年六月の「バルバロッサ作戦」でキエフを陥落させ、モスクワ（クレムリン）の数十キロ手前まで攻め込みながら、ジューコフ率いるソ連軍に押し戻される。以降、後退を続け、スターリングラードで致命的な敗戦を迎える。その後、天才エーリッヒ・フォン・マンシュタイン将軍の戦略によってハリコフで一矢を報いるが、クルスクでの完敗で東部戦線は完全な負け戦になってゆく。そして、一九四四年六月の米英による第二戦線の構築（ノルマンディ上陸作戦）によって欧州での戦争は連合国による詰将棋の段階に入っていた。

一方の日本も、ミッドウェーで主力空母四隻を失い、続くガダルカナルの敗戦以降、圧倒的な米国の戦力の前に下り坂を転げ落ちるように負けを繰り返していった。そして、乾坤一擲のマリアナ沖海戦とサイパン陸戦の致命的な敗戦によって、「絶対国防圏」が突破され戦争の勝ち目は潰えていた。マリアナ・サイパンの敗戦は、奇しくもノルマンディ上陸作戦と同じ一九四四年六月の出来事であった。

「ドイツの勝利」という政戦略の前提が崩れた日本は、戦争を終結させる糸口がないまま漂流してゆく。

一方の米国（ルーズベルト大統領）、英国（チャーチル首相）は、一九四三年一月のカサブランカ会談において「無条件降伏」しか認めない声明を発表する。ナチズム、ファシズム、軍国主義を完全崩壊させることを宣言したのである。しかし、チャーチルはこれに積極的に賛同したわけではなく、これを後で聞かされた蔣介石も、そしてスターリンでさえも戦争が長期化すると反対したと言われている。しかし、ルーズベルトにとっては、米国以外の英国やソ連がドイツや日本と、米国にとって参戦のメリットがない状況のまま勝手に講和出来ないように釘を刺したのだ。このことによって、ドイツも日本も最後の一兵まで戦わざるを得なくなってしまった。

そして、更に厄介なことに、日本は日米戦開始直後の一九四一年十二月十一日、ドイツ・イタリアとの単独不講和を約し、「お互いに勝手に白旗を掲げ講和をするのはやめよう」と自らを縛っていた。『昭和天皇独白録』（寺崎英成／マリコ・テラサキ・ミラー　文春文庫、一九九五年）には、以下のコメントが出てくる。

私に［は］『ニューギニア』の『スタンレー』山脈を突破されてから（十八年九月）勝利の見込を失つた。一度何処かで敵を叩いて速かに講和の機会を得たいと思つたが、独乙との単独不講和の確約があるので国際信義上、独乙より先きには和を議し度くない。それで早く独乙が敗れてくれゝばいゝと思った程である。

また小磯内閣時の外相であった重光葵も連合軍との和平のタイミングはドイツ降伏後、単独不講和が無効になってからであると主張していた。

それまで日本は、ドイツに既に二回信義を踏みにじられていた。一つは、ソ連に対する防共協定を締結しておきながら、日本と事前の協議もなしにソ連と野合し独ソ不可侵条約を締結したこと。二つ目は、ドイツを信用して三国同盟を締結したにもかかわらず、よりによって日本がソ連と中立条約を締結した二カ月後に、ソ連に攻め込んだことである。そのドイツ、そして、その指導者であるヒトラーに対する信義に拘っていたとは、複雑な感情を禁じ得ない。イタリアは一九四三年九月にさっさと休戦協定を発表し三国同盟から離脱している。

そして、連合国の首脳が集結し、戦後処理が話し合われたヤルタ会談が一九四五年二月に行われる。ここから半年の年月をかけて戦争は収束する。このヤルタから半年の間に、実に多くの命が奪われた。特に沖縄戦、原爆投下、更にはソ連の参戦を止めることが出来なかったことは痛恨の極みである。

何故、戦争の終結がここまでずれ込んだのか。ターニングポイントは何であったのか。そして、何故和平交渉は繰り返し見送られたのか。これが本書で追究したいテーマである。

一方、日本を終戦に追い込んだB29による無差別大空襲、原爆投下、更にはソ連軍による満州侵攻について、今まであまり語られてこなかった連合国側から見た歴史の事実についても深掘りしてみたい。

ややもすると、この戦争の歴史は、日本国内の座標軸のみで語られがちである。しかし歴史とはそんな単純なものではない。常に変化する国際情勢、そして相手国との利害と権力のぶつかり合いによってつくられてゆくものだからである。

第二次大戦　終戦の錯誤◇目次

プロローグ

ここでは、日本が開戦に至る経緯について簡単に触れておく。
(出発点をどこに置くかは様々な見解があると思うが、ここでは開戦を決定的にした石油禁輸から書く)

日米開戦約四カ月前の一九四一年八月一日、日本軍の南部仏印(現ベトナム)への進駐に対して米国が発した石油全面禁輸によって日本は、完全に追い込まれてゆく。そして、同年九月六日の御前会議で、十月上旬まで外交交渉を行い、交渉が決裂した場合、米英蘭に対し開戦することを決定する。

近衛文麿内閣は、外交による日米戦回避の実現を目指し、最後の望みを米国大統領ルーズベルトとの首脳会談に託していたが十月二日に米国のハル国務長官に拒絶される。米国は原則論を押し付けるだけで話し合いにのる気はなかった。そして日本も米国が要求する中国、仏印からの撤退に陸軍が強硬に反対し譲歩する気配もなかった。更に、日米開戦となった場合、戦闘の当事者になるはずの海軍からは「開戦不可」の言質を得ることは出来なかった。万策尽きた近衛は十月十六日に内閣を総辞職する。

天皇が次の組閣を命じたのは東條英機だった。東條を推したのは内大臣木戸幸一であった。これは一種の逆転の発想で、東條をもって強硬派の陸軍を抑えようとしたのである。東條の天皇に対する忠節は抜きんでており、天皇の聖意を実行できるのは彼しかいないと考えられた。「虎穴に入らずんば虎子を得ず、だね」と天皇は木戸に語ったといわれる。更に、木戸は陸軍を抑えるため、東條に陸軍大臣も兼任させる。そして、天皇は東條に対し、九月の決定を一旦白紙にして、もう一度外交による対米戦争回避に力を尽くすように直接指示された。

そして約二週間を掛けて最終的な外交交渉案を策定する。日本は東南アジア及び南太平洋諸地域に武力進出を行わないことを確約し、南部仏印駐留の兵力を北部仏印に移動させる。対する米国は石油輸出を再開することを確約するというものであった。

この交渉案に対し米国は、一切の妥協のないハルノートを日本に提示し、日本は十二月一日の御前会議で開戦を決定する。

実は、米国はルーズベルトが三選を決めた直後の一九四〇年末の段階で、欧州の戦況を鑑みて参戦せざるを得ないことを決意していた。ドイツとはいずれ戦わねばならぬが、大西洋と太平洋の両面作戦を避ける為、日本に対しては経済制裁で追い詰める。これが米国の基本戦略であった。しかし、ヒトラーは米国の挑発には乗らず、最終的に外交下手な日本を戦争に追い込んでいた。

ドイツとの戦いで疲弊していた英国も、日中戦争で苦戦していた中国も、米国の参戦を強く望んでいた。そしてソ連もコミンテルンを通じて日米を戦わせるための様々な影響力工作を行っていた。

日本もここまで追い込まれる前に、中国との和平を実現するべきであったが、国論を統一出来ず、多くは日本側の不手際によって和平のチャンスを潰していた。日中和平を阻む様々な挑発や謀略が国内外にあったとしても、日本側が譲歩して和平を進めるべきであった。そもそも日中戦を早期に収束させていれば、三国同盟も必要なかったし、米国と戦争になることもなかったのである。

東條は、開戦二日前に皇居に向かって正座し、そして号泣している。（勝子夫人の目撃談）生真面目な東條は、お上の聖意は外交重視であったにもかかわらず、戦争になってしまった以上、この戦争は絶対勝たなくてはならないと追い込まれてゆくことになる。

戦争は日本の快進撃で始まっていた。真珠湾奇襲攻撃並びに南方作戦を計画通り進め、緒戦の目標を達成したのである。

そして、一九四二年二月十五日のシンガポール攻略後、陸海軍は次の戦いをどのように進めるかについて大論争を行うことになる。陸軍は、インド・西アジア戦略を重視し長期持久戦を意識していたため、太平洋での戦いは南部の資源確保までで拡大を止めるべきであることを主張する。

一方の海軍は、アメリカとオーストラリアの連携を遮断するための戦線を更に拡大して、太平洋の島々の占領と確保を主張していた。アメリカの戦力が飛躍的に増大する前に叩いて早期講和を図るのが狙いであった。

太平洋での戦線拡大を止め大陸に向かいたかった陸軍と、太平洋での攻勢を続行し戦線の拡大を図りたかった海軍、更には長期戦を意識していた陸軍と短期戦を企図していた海軍の戦略思想は根本的に相違していたのである。結局、陸海軍の戦略は整合出来ないまま三月に大本営政府連絡会議で決定した天皇への上奏案は以下に記されていた。

「長期不敗の政戦態勢を整えつつ機を見て積極的の方策を講ず」、これは、陸軍が海軍の拡張を容認する形で妥協し、両論併記された典型的な官僚的文書であった。

東條は、厳密な意味で独裁者ではなく、陸海軍の戦略を整合する構想力も、リーダーシップも持ちあわせていなかったのである。

東條は、首相を辞任後、敗戦が濃厚になった一九四五年二月十六日に「海軍の実力に関する判断を誤れり、而も、海軍にひきずられた。構成終末を誤れり、印度洋に方向を採るべきであった」、と述べ、当初の戦略が間違っていたことを認めている。

東條内閣打倒される

米軍との短期決戦を企図していた日本海軍は、一九四二年六月に、アメリカ太平洋艦隊（主力空母部隊）の撃滅とミッドウェー島の攻略を図るべく一大決戦に打って出る。言わずと知れたミッドウェー海戦である。緒戦での連戦連勝の驕りもあり、連合艦隊はこの海戦で主力空母四隻を沈められ大敗してしまう。そして、一九四三年二月には、ガダルカナル島で約半年の間に戦死者二万人を出す凄惨な消耗戦の末、同島からの撤退という事態となってしまう。この二つの惨敗によって日本軍の敗戦は濃厚になってゆく。以降も、米軍は手を緩めず、日本軍の挽回を許さなかった。

日本は、米軍が欧州戦域に戦力を割いていた為、太平洋戦域に対する大幅増強は一九四三年後半から一九四四年以降と考えていたが、一年以上早かったのである。

そして、一九四三年九月には、絶対国防圏が論議され、御前会議で決定された。戦争継続に不可欠な領土を決めたのである。この国防圏の中には、東部（マーシャル群島）を除く内南洋があり、その中にはマリアナ諸島も含まれていた。米軍としてもここを攻略できれば、B29による本土爆撃が可能となる最重要拠点とみていた。

米国はB29を、局地戦で制空権を確保するための戦術利用ではなく、敵の中枢を叩き戦争そのものを勝利するための戦略爆撃機として開発していた。しかし、中国の成都からでは北九州までしかカバー出来ない。もしマリアナ諸島を攻略できれば関東を含む日本本土全域がB29の射程圏内に入るのである。そして、日本はこのB29が量産体制に入ったことを察知していた。従って、このマリアナ諸島を巡る戦い（マリアナ沖海戦とサイパンでの陸戦）こそが、日米戦最大の分水嶺であることは誰の目にも明らかであった。

一九四四年六月、満を持したアメリカ軍が総力を挙げてマリアナに迫っていた。この時、日本軍が迎え撃つ米軍は、真珠湾・ミッドウェーの時のアメリカ軍とは違い、艦隊数も大幅に増強され、兵器の質も日本軍を大きく凌駕していた。

一方、日本国内では、時を同じくして、東條打倒の動きが本格化していた。

敗戦の色が濃くなった一九四四年ごろ、海軍の重鎮岡田啓介を中心に「東條内閣打倒工作」が動き始める。岡田は、二・二六事件（一九三六年二月二十六日に起こった青年将校によるクーデター未遂事件）の時の首相で暗殺のターゲットであったが難を逃れ、一九四〇年以降は重臣会議のメンバーとして政治に関わっていた。（二・二六事件では、首謀者の青年将校が、岡田の義弟で秘書官を務めていた松尾伝蔵を岡田と間違えて殺害したことで命拾いしていた）

岡田は、戦前は海軍内で敵対関係にあった米内光政（軍縮条約派であり、反枢軸派、対米戦反対の立場であった）と末次信正（非条約派、枢軸派、対米戦強硬派であった）の実力者を握手させ海軍を一本化する必要があると考えていた。そしてこれをお膳立てしたのは、海軍省教育局長の高木惣吉少将であり、岡田との連絡役は内閣参事官で岡田の次女を妻としている迫水久常が務めていた。

そして問題の末次との連絡役は、対米強硬の最右翼であった軍需相総動員局法務部長の石川信吾少将が務めていた。平時ならば掴み合いの喧嘩も起こしかねない者同士が、東條打倒という同じ目的のために立ち上がったのである。

最初の会合は、六月二日、会談場所を提供したのは、大日本製糖社長で日本商工会議所会頭であった藤山愛一郎であった。

「東條内閣を潰さねば日本は危うい」

「東條を打倒するためには、東條のイエスマンである嶋田海軍大臣を辞めさせる必要がある」

嶋田は、東條と同じく海軍大臣でありながら軍令部総長も兼任し、考え方も東條に従属していたため、「東條の男メカケ」と陰で批判されていた人物である。

「嶋田を引きずり下ろし、東條を切る」つまり、嶋田が辞任して海軍が次の海軍大臣を出さなければ東條内閣は自動的に倒壊するのである。これが、岡田が描いた東條打倒のシナリオであった。（当時の日本は軍部大臣現役武官制を採っており、陸軍大臣・海軍大臣は現役の大将・中将に限定されていた）

「そのためには、海軍の中で人望を二分する米内と末次が手を握って、一本にならねばならない」と岡田は力説していた。この秘密会談で米内と末次は東條打倒のため過去のわだかまりを捨て連携を誓い合うことになる。岡田の目論見は成功裏に終わったのである。

東條は、義理人情に厚く、自分を慕い忠誠を誓うものには面倒見が良かったが、自分に敵対する相手に対しては、憲兵を使って、徹底的に追い詰めていた。そして、そのやり方も苛烈を極めた。衆議院議員の中野正剛は、東條の独裁的なやり方に反旗を翻し、朝日新聞紙上などで東條を痛烈に批判していた。これを東條は許さず、一九四三年十月、警視庁特高部は中野を身柄拘束する。このやり方は強引過ぎると各方面から批判が出ていた。案の定、追い詰められた中野は割腹自決してしまう。

東條は、その後も憲兵を使った弾圧の手を緩めることはなかった。また陸軍内で彼を批判したり、諫言する者は、見せしめとして致死率が高い激戦地に追われていた。

東條は、総理大臣と陸軍大臣を兼任し、参謀総長という統帥権まで掌握していた。更には、経済の要となる軍需大臣、憲兵隊を所轄する内務大臣まで兼務していたのである。

世間では東條内閣を「幕府政治」と呼び恐れていた。何でも自分でやらねば気が済まず、人の意見はほとんど聞かなかった。

東條は、能吏としての実務の切れ味は抜群であったが、人間的には狭量に過ぎたのである。

私生活においては、金銭や女性に対しては禁欲的で、無類の愛妻家であった。また、庶民の生活を心配してゴミを漁っていたとの逸話もあるほど真面目で几帳面な性格であり、「努力即権威」が座右の銘であった。

そして、特筆すべきは、過度な精神主義である。

ある時、彼は、飛行学校で生徒に対して質問した。

「敵の飛行機は、何によって墜とすか」

「機関銃で墜とします」

「次！」

「高射砲で墜とします」

「次！」

「自分の気魄で、体当たりをして墜とします」

「いまの生徒、よろしい」

このような人物が総力戦のトップに君臨していたのである。

東條の側近中の側近であった佐藤賢了軍務局長は、ワシントン駐在武官を三年ほど経験した陸軍中枢では数少ない知米派と目されていた人物であったが、彼の米国観は、「アメリカ人は国家に対する忠誠心が低く。軍人としての心構えも日本人とは雲泥の差である。アメリカは多民族国家でまとまりのない社会である」という表面的で偏見に満ちたものだった。そして、このバイアスの掛かった一方的な見方を上司の東條に語っていた。

東條はこれをどの程度真に受けたかは憶測の域を出ないが、東條は陸軍省戦争経済研究班から米国との戦力差は二十倍との報告を受けていたにもかかわらず「米国との戦力差は四倍」と常々口にしていたことから推測すると、精神力でかなりの部分をカバー出来ると考えていたことは間違いない。

戦後、重光葵は東條首相について以下に記している。「彼は勉強家である。頭も鋭い。要点を摘まんでゆく理解力と決断とは、他の軍閥者流の遠く及ばざる所である。惜しいかな、彼に宏量と世界的知識とが欠如しておった。もし彼に十分な時があり、これらの要素を修養によって具備していたならば、今日のような日本の破局は招来しなかったであろう」（巣鴨日記）

欧州戦線では、一九四四年六月六日に、連合軍がノルマンディ上陸作戦に打って出ていた。ドイツもいよいよソ連と英米の挟み撃ちにあうところまで追い込まれていたのである。親独派の東條はこの時、ヒトラーに激励の電報を打っている。

日本も太平洋での劣勢のみならず、南方（ビルマ方面）でもインパール作戦の失敗により後退を余儀なくされていた。

時間がない。岡田は焦っていた。

この岡田と同じく、東條潰しに動いたのは、元首相である近衛文麿である。近衛は陸海軍の和平派を結びつけて東條打倒を画策していた。これに元首相である平沼騏一郎、若槻禮次郎といった重臣が連携していった。

そして、岡田は、天皇と東條を結ぶ内大臣である木戸も仲間に引き入れることに成功していた。東條を天皇に推挙していた木戸は、東條を徹底的に擁護すると思われたが、彼も東條の戦争指導を見限っていた。反東條の内堀と外堀は埋められていったのである。

あとは、マリアナ諸島での米軍との戦闘がどう推移するかであった。

「マリアナ沖海戦」と「サイパンの戦い」は、先述したように、日米戦最大の天王山であった。ミッドウェー海戦以降、日米双方とも艦隊による総力戦はこのマリアナまで仕掛けていなかった。日本はミッドウェーでの敗戦の痛手から戦力を立て直すまでには時間が必要であった。一方の米国も戦力拡大が緒についたばかりであり、空母並びに航空機の増産には時間が必要だった。そして、この間に双方の国力の差が明確に出てしまっていた。日本はマリアナ開戦で準備出来た戦力は、空母九隻、航空機約五百機であるのに対し米国は、空母十五隻、航空機約九百機にのぼっていた。倍近い開きがあった。またこの間に米国は、航空機の性能を大幅向上させ、日本は航空戦では勝ち目がなくなっていた。更に、科学技術力を総動員させて最新式のレーダーの開発やＶＴ信管という艦対空砲（一定の近傍範囲内に達すれば起爆できる信管で、目標に当たらなくても打撃を与えることが出来る）を実戦配備させていた。

日本軍は、米国はフィリピンを第一目標に日本に進撃するだろうと考えており、米軍のマリアナ諸島侵攻は一九四四年末と予測していた。しかし、米軍は戦略爆撃の拠点をなるべく早期に確保したいと考え、フィリピンでなくマリアナ諸島攻略を優先していた。そのため海軍による総力戦のタイミングは日本軍が考えていたよりも早くなってしまったのである。

そして、準備不足の日本軍は、パイロットの育成が間に合わず、練度が低いまま決戦を迎えることになってしまう。

日本軍は、このマリアナ諸島の戦いについては、アメリカの頭文字を取って「あ号作戦」と呼んでいた。

作戦の概要としては、日米の戦力差を埋める為、まずは島を不沈空母に見立て、角田司令官による基地航空隊による攻撃を考えていた。そして次に小沢治三郎司令官率いる機動部隊の艦載機で攻撃を加え、そして敵の残存艦隊を「大和」、「武蔵」を中心とする戦闘部隊が止めを刺すという、日本海海戦における七段構えの戦法のように日本海軍が練りに練った作戦であった。

しかし、この作戦は緒戦から躓いていた。日本側の準備不足と、航空機の性能、更にはパイロットの技量の違いにより、空襲により地上で撃破され、迎撃に飛び立った飛行機も撃ち落とされていた。

連合艦隊を率いた小沢治三郎司令官は、乾坤一擲の勝負に出る。「アウトレンジ戦法」である。日本軍に残された優位性は、敵機よりも航続距離が長いことであった。米軍機の３２０キロに対し日本は４８０キロの航続距離を持っていた。空母対空母では先に攻撃出来る利点がある。ボクシングでいえばリーチの長さを最大限活かす戦い方であった。六月十八日、日本軍は索敵により米国空母を発見し、思惑通りにアウトレンジ戦法を敢行したが、日本軍の動きは米軍のレーダーで捕捉されていた。そして、米軍機の待ち伏せにあい迎撃されてしまう。米艦隊に突入した航空機も先述したＶＴ信管の餌食になっていた。練度が低い日本の航空機は、米軍パイロットから「マリアナの七面鳥狩り」と揶揄され簡単に撃ち落とされていた。

この海戦で日本は空母三隻を失い、更には航空機も艦載機だけで三百九十五機（基地航空機を合わせると四百四十五機）を失っている。一方の米軍の被害は、小破した空母はあったが、撃沈された艦船はなく、艦載機の被害は百三十機であった。日本の惨敗と言える。

マリアナ沖海戦・サイパン戦の直前に連合艦隊は、「皇国の興廃この一戦に在り、各員一層奮励努力せよ」と全部隊に打電し、Ｚ旗を掲揚している。伝統あるＺ旗掲揚は、日露戦争での日本海海戦、そして真珠湾攻撃以来の決意表明であった。その皇国の興廃の戦に負けたのである。

そしてマリアナ諸島の要衝であるサイパン島を巡る陸戦が六月十五日に始まっていた。

先述したように日本は、米軍のマリアナ侵攻のタイミングを年末と予想していた為、準備が出来ていなかった。しかもサイパン島防衛の陸軍司令官であった小畑英良中将は出張中で不在の状況にあった。準備不足と司令官不在のまま圧倒的な戦力で侵攻してくる米軍を押し戻すことが出来ず、苦戦を強いられる。追い詰められた日本軍は、七月七日には玉砕覚悟の総攻撃を行い、一矢を報いるが、勇戦むなしく敗退してしまう。

ミッドウェー海戦敗北の司令官であった南雲長官は、このマリアナで復仇の機会を与えられていたが、敗戦となったため、責任を取り自決していた。

この敗戦で日本は絶対国防圏が破られ、日本の戦勝の可能性はほとんど無くなっていた。六月十六日、中国（成都）から飛び立ったB29が、北九州の八幡製鉄所に対し空爆を行っている。これは初めてB29を使った本格的な本土爆撃であった。成都からでは、九州がギリギリの射程範囲であり、これがマリアナから飛び立った場合、日本全土が射程に入るのである。

そして、一九四四年七月には、米軍はB29の離発着可能な長い滑走路を持つ飛行場をあっという間に完成させている。米軍は、飛行場の敷設には土木の専門家を臨時動員させていた。米国が行っていた戦争は国力を総動員して戦う総力戦（Total War）であった。それはあらゆる意味で日本よりも徹底していたといえる。

そして、サイパン、グアム、テニアンにはいつの間にか七つの航空基地が出来ていた。

マリアナ沖での敗戦とサイパン島陥落は東條潰しの政局の動きに拍車を掛けた。六月三十日に嶋田は、予備役海軍大将を集め招宴を行ったが、その席で今後の戦局について末次信正に詰め寄られる。はっきり言えば、嶋田は海軍歴々の重鎮の前で不信任を突きつけられたのだ。嶋田は赤っ恥をかかされ、これ以上嶋田に任せるわけにはゆかない印象を海軍指導層全体に与えてしまっていた。

そして、サイパン陥落が確実となった七月十三日に東條は内大臣木戸に内閣改造を求めた。木戸は、東條に内閣改造の条件として、嶋田海軍大臣の更迭と東條自身が兼務していた陸軍大臣と参謀総長を解くこと、更には重臣を入閣させることを要求した。

この木戸三条件について、東條は天皇のところに意見を求めに行くが、天皇の意向も同じであることが確認される。木戸はこの三条件を提示すれば東條は辞職すると考えたが、東條は、この三条件を呑むことで政権の延命を図ることを決意していた。木戸の見通しは甘かったのである。

常識的に考えれば戦争による解決の道は遠のいていたが、東條は日本が負けるなどとは少しも思っていなかった。いや、思いたくなかったのである。人事を一新して局面打開を図ろうと考えたのである。

厄介なことは、東條はこの時、犠牲者に背を向けて我々は間違っていたとは言えなくなる「死者への負債」を抱えていた。今、負けを認めたら、今までの亡くなったものが無駄死にになってしまう。更には、明治以降近代日本が積み上げてきたものを自分の時代に失うことになる。追い込まれた東條はリスクを取ってでもこの戦局を挽回したい思いにかられていたのだ。

先ず東條は自らの進退について、参謀総長を梅津美治郎に譲ることを決意している。そして、盟友である嶋田に会い、更迭の話を持ち出した。嶋田は拒否することはなく「私が去って政変を回避できるのなら喜んで去りますよ」と答えていた。三つ目の重臣の入閣については、米内光政が入閣を断ってきた。「自分は政治にはむかない。首相として一度、失敗している」というのが理由だった。更に重臣の入閣枠をつくるために無任所国務大臣の岸信介を降ろさねばならなかった。東條と岸は満州時代から深い絆で結ばれていたが、この頃の岸は東條のやり方に対して疑問を持ち、マリアナの敗戦で戦局の好転は望めないと考え、東條と対立していた。辞任を迫る東條に、岸は「辞めない」と反旗を翻す。

実は、岡田は迫水を通して、岸の他に内田信也農相や重光葵外相に対しても、東條から辞任を迫られた時に拒否するように根回ししていた。そして三人とも岡田からの要請を快諾していた。岡田の策謀は抜かりがなかった。対する東條は東京憲兵隊長の四方諒二憲兵大佐を使って脅しをかけるが岸は耐え切る。東條の詰め腹を切らせたのは、意外にも岸の一刺しであった。岸についての評価には毀誉褒貶が付きまとっているが、この時は命がけで東條内閣潰しを行ったのである。

実は、東條に対しては、暗殺計画の動きもあったことを付け加えておきたい。

東條暗殺は様々な計画があったが、その中で一番実現の可能性が高かったのは、津野田知重少佐と牛島辰熊のコンビによるものであろう。首謀者の津野田は日露戦争で第三軍指揮官乃木希典の参謀を務めた津野田是重の三男として誕生している。所謂名門の出身である。一方の、牛島は皇宮警察柔道師範であり、史上最強の柔道家の一人といわれた木村政彦の師匠でもあった。政治的には、既に予備役に入っていた石原莞爾将軍の薫陶を受けていた。

このままでは、日本は亡国の道を歩んでしまう。津野田は思い悩み、憂国の士として信頼を置いていた牛島に会う。そして二人は、「大東亜戦争現戦局に対する観察」という献策書を作成し、もし東條が退かぬようであれば暗殺を決意していた。暗殺のやり方については、短刀かピストルが考えられたが、確実に東條を仕留めるために、牛島がオープンカーで移動中の東條に青酸ガス爆弾を投げつけるという現代でいう「自爆テロ」を考えていた。牛島は津野田に向かい躊躇なく「おれがやる。茶瓶（青酸ガス爆弾）を手に入れてくれ」と答えていた。

津野田と牛島は、尊敬する石原莞爾に会いに行き、この計画に対し「賛成」のお墨付きを得ていた。

石原は、中国から日本軍を撤退させ、蔣介石を通じて米国との和平工作を進めることは賛同する。「百の議論よりもやってみることが大切だ。東條は自分から反省することなどない男だから屠場に連れてゆかねば退かん」と答えていた。

しかし、準備万端、暗殺決行のタイミングを見計らっていた矢先に、東條内閣が総辞職したため、暗殺は未遂に終わってしまう。（その後、津野田、牛島は逮捕され、津野田は陸軍から免官のうえ、禁固五年、執行猶予二年で釈放。牛島は不起訴となっている。裁定は、東條が退陣した為、軽く済んでいる）

この津野田と牛島が最後に頼った石原こそが、満州事変の首謀者であり、陸軍きっての天才戦略家といわれていた。異才の石原は、上には媚びることはなく、上司をバカ扱いし突き上げる一方、下のものに対しては思いやりに満ち多くの信望者を集めていた。

石原は「中国とは早急に和平し、中国人の協力を仰ぎ、満州は日中共同で育てて行く」という構想を持っていたため、中国一撃論の東條とはことごとく対立していた。そして、東條が関東軍参謀長から陸軍次官、陸軍大臣と出世の階段を上がっていくのとは対照的に、石原は参謀本部第一部長（作戦）まで上り詰めた後、中央を追われ関東軍参謀副長、そして舞鶴要塞司令官という閑職に左遷され、日米開戦前の一九四一年三月には予備役へ編入されていた。つまりは、東條との権力闘争に敗れたのである。

開戦前、石原は、日米戦についても辛辣な見方をしていた。

彼は既に予備役に入っていたが、事態を憂慮し、日米開戦の約二カ月前に田中隆吉少将（兵務局長）に面談し以下のように主張していた。

「石油はアメリカと妥協すれば、いくらでも入手できる、石油のために戦争する馬鹿がどこにいる」

「ドイツの戦争は危ない。地形の違うバルカン半島も西部戦場も同じ戦法であり。ソ連戦線でも変化がない」

「ドイツはソ連に勝てないだろう。日本がドイツを信頼して米英戦を行うことは、この上なしの危険なことだ。君たちは何とかしてこの戦争を阻止せよ」

しかし、石原が憂慮していた事態に日本は進んでしまう。

そして、真珠湾奇襲の直後、新聞記者に対し、空を仰ぎながら「東條がついにやったか。これですべては終わりだ」と語ったと伝えられる。

彼は、第一次大戦後、世界の行く末について以下の持論を述べていた。「第一次大戦が終了したが、列強はまた戦争状態に戻り、色々な組み合わせで戦いを起こす。準決勝にはアメリカとソ連が残りアメリカが勝利する。そして決勝戦は日本とアメリカが戦うことになるだろう。日本はその時までに余計な争いに与せず、じっと耐えて国力を蓄えておくべきだ」、日本に対する見通しはともかく、第二次大戦の勃発、そして米ソ対立の出現とソ連崩壊までは正確に予測している。これだけの卓見を持ち若手の信望を集めながら、陸軍上層部の間では浮いた存在になっていた。この石原については、満州事変を起こしていながら信賞必罰されず、その後も作戦部長まで出世し影響力を残したことなどで批判する者も多く、毀誉褒貶が激しい人物であった。しかしこれだけの才能を活用できなかったことは惜しい限りである。

敗戦の色濃くなった一九四二年末に東條は、彼の満州時代の腹心であった甘粕正彦元憲兵大尉を通じ石原と面談し、今後の戦争指導について質問している。これに対し石原は「君に戦争指導など出来ない。このままでいったら日本を滅ぼしてしまう。即刻、総理大臣をやめるべきだ」と勧告していた。

この権力や権威をなんともしない石原の態度に溜飲を下げるものも多かった。

この態度は、敗戦後の進駐軍に対しても同じであった。

東京裁判での法廷で、判事にこの裁判では、歴史をどこまで遡って戦争責任を問うかを尋ね、「日清・日露戦争まで遡る必要があるだろう」との回答に対し、「そこまで遡る必要があると言うならば、ペリーをあの世から連れてきて、戦犯としてこの法廷で裁かねばなるまい。鎖国をしていた日本を無理やり開国させたのはペリーである。鎖国のままであれば朝鮮も満州も不要であった。日本に帝国主義の手口を教えたのはアメリカ等の国だ」とコメントしている。また、東條との確執についての質問には、「私には思想があるが、東條には思想はない。だから対立のしようがない」と言い、東條批判を期待していたアメリカ人を煙に巻いていた。戦後、戦勝国であるアメリカ人に気圧され卑屈になっていた日本の指導者が多い中で、媚びを売らず堂々と自説を述べる石原に喝采を送る日本人も多かったのである。

もう二人、日本陸軍には将来のリーダーとして嘱望されていた人物がいた。一人は「日本陸軍の至宝」といわれた永田鉄山である。「永田の前に永田なく、永田の後に永田なし」と言われ、東條が最も尊敬していた人物であり、東條は永田の言うことは素直に聞いたといわれる。彼は「国家総動員体制を目指した軍国主義者」と批判される向きもある一方で「合理適正大居士」と言われるほどに緻密な戦略構想力を持ち且つ、現実的な政治力・リーダーシップも兼ね備えていた。永田の考えていた国家総動員体制とは、最悪事態に備えてのものであり、決して国力を超えた戦争を行うことではなかった。しかし残念ながら一九三五年、軍務局長時代に皇道派の相沢中佐に惨殺されてしまう。もし永田が健在であれば日米開戦は避けられた可能性があったと指摘する研究者も多い。

また、もう一人は、永田のライバルでありその実力を二分していた皇道派の雄、小畑敏四郎である。彼は対ソ強硬派であり、中国との和平推進派でもあった。彼は日本の国力では対ソ防衛戦が限界であることを理解していた。皇道派といえば神がかった精神主義者のように捉えがちであるが、統制派よりも現実主義的な面もあったのである。しかし、二・二六事件後、陸軍は統制派が幅を利かし、皇道派であった小畑は失脚してしまう。因みに、先述した東條暗殺を計画した津野田と牛島は、東條無き後、小畑に国運を託すべきだと考えていたと言われている。

組織は煮詰まると「まともな人間」は排除されるか潰されてしまうのかもしれない。異論はあるかもしれぬが永田か小畑ならば天才肌の石原をうまく使いこなせたかもしれない。

勿論、石原、永田、小畑が残っていたら、日本は国難を乗り切れたかは定かではない。しかし、戦略構想力、カリスマ性は東條よりも遥かに上であった。別の言い方をすれば、これだけの国難において東條ではあまりにも荷が重かった。東條はカリスマではなく、どこまでも真面目で狭量な官僚でしかなかったのである。

何も出来なかった小磯内閣

東條のあとを誰にするか人材は払底していた。後任は重臣会議で決められた。(重臣会議の構成員：主宰者の内大臣、内閣総理大臣経験者、枢密院議長)

候補に挙げられたのは、南方軍司令官寺内寿一、朝鮮総督小磯国昭、支那派遣軍司令官畑俊六、という無難な人選であった。思い切った人選をすれば陸軍が大騒ぎすることは目に見えていた。当初は寺内が第一候補であったが、第一線の司令官を替えることは出来ないと反対論が出たことで外され、畑については重臣からの反対が多かったため、結局、小磯に白羽の矢が立つ。彼は陸軍内では統制派にも皇道派にも与していなかった。色がない分政治力が欠けていた。補佐役として米内を海軍大臣につけてバランスを取ったが、日本を和平に導けるほどの力は無かった。

朝鮮から戻されたばかりであり予備役となってから六年もたっていた。戦況に疎い小磯が明確な戦略など持てるはずもない、結局「一撃講和論」に縋った。今一度大きな勝利をおさめ講和を有利に運ぼうという考え方である。

連合軍は、先述したように一九四三年一月のカサブランカ宣言で枢軸国に対し無条件降伏しか認めないことを決め、そして同年十一月のカイロ宣言で蔣介石は日本を無条件降伏させるまで戦うことを宣言していた。

一方の日本は、無条件降伏という今までにほとんど前例のないやり方を受け入れることは出来ず、日露戦争時のように奉天会戦や日本海海戦での勝敗、優劣を基に講和条件を話し合うやりかたを考えていた。

その一撃のチャンスは、小磯内閣誕生から三カ月後の十月末に訪れた。


マリアナ諸島を攻略した米軍が次に向かったのは、太平洋戦線緒戦で米国が辛酸を舐めたフィリピンであった。

実は、海軍のチェスター・ニミッツは日本への侵攻の早道として台湾攻略を考えていたが、陸軍のダグラス・マッカーサーにとっては「I shall return」（必ず戻る）と言ってフィリピンをあとにしていた以上、取り戻さないわけにはいかない場所であった。そして、フィリピンには約七千人の米軍捕虜がいた。ルーズベルトもマッカーサーの意向を尊重した。また、フィリピンから台湾は約五百キロ、沖縄は千キロしか離れておらず、日本本土攻略のための通過点でもあった。


一方の日本軍は、一九四四年十月に米輸送船団がフィリピンのルソン島（レイテ湾）に上陸することが予想されたため、「捷《しょう》一号作戦」を発動させ、アメリカ太平洋艦隊に一撃を加え、劣勢の挽回を図ろうとした。

この「捷一号作戦」に基づき行われたのがレイテ沖海戦である。これは、日本と米豪の連合軍との間で行われた人類史上最大の海戦であった。シブヤン海、スリガオ海峡、エンガノ岬沖、サマール島沖の四つの海域で行われた海戦の総称でもある。

連合国側の艦隊戦力は、空母十七隻、護衛空母十八隻、戦艦十二隻、航空機約千機に対して、日本軍の艦隊戦力は空母四隻、「武蔵」を含む戦艦九隻、航空機約六百機と戦力面では圧倒的に連合国軍側が勝っていた。マリアナ沖の差は大幅に拡大していたことが分かる。これだけの戦力差では勝負にならず、日本は空母四隻全てを失い、更には戦艦武蔵も撃沈されている。日本海軍は完全に挽回不可能なところに追い込まれてしまった。

実は、このレイテ沖で、小沢治三郎の囮艦隊が、ハルゼーの米国艦隊を引き付けている間に、栗田艦隊がレイテ湾に上陸する米軍の輸送船団を壊滅させるという作戦を計画していた。そして、作戦通り小沢はハルゼー艦隊の引き付けに成功していたが、栗田艦隊は「謎の反転」を行い一撃のチャンスを逃していた。この反転の原因については、様々に語られており、戦後になっても明確な答えは出せていない。言えることは、日本の武運も完全に尽きてしまったことであろう。

マリアナ沖海戦、そしてレイテ沖海戦で、日本は太平洋における制海権、制空権をほぼ失い、十二月にはＢ29による戦略爆撃が開始され、日本の敗戦は必至となったのである。

このフィリピンでの戦いから日本は特攻を始めている。米軍との物理的な戦力差を埋める手段は既になく、あとは現場の精神力に縋るしかなくなっていたのだ。

一九四四年末以降、次の一撃のチャンスをうかがいながら空しく月日がたっていた。フィリピン戦も泥沼化し、後述するがＢ29による爆撃も軍事施設に対する精密爆撃から大都市への無差別爆撃にエスカレートしていた。

一九四五年二月末に最高戦争指導会議は、今後採るべき戦争指導大綱案を策定している。大綱案には、本土での決戦体制を確立しあくまで戦争を完遂する、と書かれていた。講和のための一撃は本土にまで延びていた。


小磯は内閣改造によって自身の現役復帰と陸相兼務を試みたが、三長官会議で信任を得ず、代わりに阿南惟幾大将が後任の陸相に選ばれていた。そして、万策尽きた小磯は、一九四五年四月七日、内閣を総辞職する。

戦後、首相の専属運転手だった柄澤好三郎は、小磯が総辞職した最終日について、次のような証言を残している。

略……官邸で残務整理を終えられた小磯さんは、秘書官も連れず、たったひとりで、専用車に乗りました。そして、灯の消えた家へ着くと、

「戦争が激しくなるばかりで、何もできなかった。本当にひどい戦争になりました。柄澤さん、長い間、大変ご苦労をかけました」と溜息をつくようにいいました。……略（柄澤好三郎、NHK取材班『バックミラーの証言』日本放送出版協会、一九八二年より）

「何もできなかった」とは素直な感想だったと思われる。しかし、この時の小磯内閣で空費した十カ月は、日本にとって取り返しのつかない月日であった。

「皇国の興廃この一戦に在り」とZ旗を掲げ惨敗したマリアナ沖海戦、玉砕覚悟の「バンザイ突撃」を行い敗れ去ったサイパン島での戦い、そして一撃講和の最後のチャンスと思われたレイテ沖海戦で大敗した日本は、何故この段階で戦争を終結させることが出来なかったのか。要因は一つではなかろう。

私は複合要因であると捉えている。

先述したように連合軍は、カサブランカ宣言、カイロ宣言で日本軍を最後の一兵まで戦わざるを得ないところまで追い詰めていた。ドイツとも単独不講和を約しており、そのドイツも降伏する素振りを見せていなかった。

日本は、真珠湾奇襲によってアメリカ人を完全に怒らせてしまっていた。日本はアメリカの挑発によって戦争に追い込まれたとする見方がある。もし意図的な挑発があったとしても挑発に乗ってはいけなかったのである。

真珠湾攻撃のあと、ルーズベルトは、関係者に「日本本土を爆撃出来る計画を一刻も早く策定せよ」と檄を飛ばしている。真珠湾奇襲攻撃は、政略的にも戦略的にも失敗であった。（もし日本が真珠湾に向かわず南方作戦に集中していれば、最終的には連合国の戦力に押し込まれたとしても、戦争の推移は違ったものになっていたであろう）

そしていつのまにかアメリカ人にとって真の敵はナチスではなく日本になっていた。米国で行われた、ある世論調査では六十二％が欧州との戦争よりも対日戦争の優先を支持していたと言われる。そして、米国は、戦争に大きく舵を切っており、戦時経済体制が始動していた。米国の失業率は一九四〇年に十五％であったものが一九四二年には五％に大幅に改善、国民総生産は大戦を通じ倍以上、工業生産は一九四〇年から一九四四年の間に約三倍に増大していた。そして、真珠湾奇襲に激高した国民は簡単に和平を許さない状況になっていたのである。

日本側も最後の最後になっても意地、面子、プライドといったものが理性的な判断を狂わせていた。

日本は敗れたことはなく、大国である清との戦争、更にはロシアにも勝っていた。清朝やロシアは帝国末期であり、総力戦で勝ったわけではないにもかかわらず、この二大帝国に勝ったことで大国意識と万能感を持ってしまった。そして謙虚さを失っていった。

「破れて逃げるは恥、進みて死ぬは誉れ」と国民を教育していた指導層が負けを認めるわけにはいかなくなっていたのである。一度動いたものを止めることは大変な困難を伴うのである。だからこそ、自ら戦争を起こすことなどやってはいけないことを教訓とするべきである。

あともう一点、批判を恐れずに書くが、相手が追い込まれた状態である場合、勝っている方が、和平のハードルを下げる必要があることも事実である。連合軍側は、もっと早い段階で無条件降伏を条件付きで緩和するべきであった。

陸軍は一九四四年の段階で日本が無条件降伏した場合の最悪事態について検討している。結論としては、①天皇制の廃止、②大和民族の滅亡、③日本男児の海外への奴隷的移住まで想定していた。

最終的に日本が受け入れたポツダム宣言は、日本ではなく日本軍の無条件降伏と緩和されており、結局①から③は杞憂に過ぎなかった。もし早い段階で、講和条件を下げていたら、終戦の判断は早かった可能性があった。

このルーズベルトが提案した無条件降伏方式に執拗に反対したのは、あのスターリンであった。リアリストであったスターリンは、この曖昧な無条件降伏宣言がかえってドイツ国民を団結させ戦争の長期化につながると憂慮していたといわれる。実は、この無条件降伏というアイデアは、米国内で軍部と政府が熟慮の末に結論付けたものではなく、事前協議もないままルーズベルトが記者会見の席で突如言い出したものであった。これには、ウィリアム・リーヒ合衆国陸海軍最高司令官（大統領）付参謀長も、アーネスト・キング海軍作戦部長も不満であった。「この無条件降伏の方針が間違いであることは戦争が進むにつれますます確信するようになった」とまで述べている。

またルーズベルトの盟友であったチャーチルは何度か無条件降伏の緩和を申し出ていたが拒否されていた。

戦略思想家として名高いベイジル・リデル＝ハートも、連合国側の課していた無条件降伏要求が戦争を長引かせる一因となっていたことを指摘している。

そして更に厄介なことにルーズベルトは、この戦争を「正義のための戦争」と定義し、一九四一年八月の大西洋憲章において「領土不拡大と民族自決」を英国首相のチャーチルと共に表明していた。しかし一方で、ソ連という全体主義国家を仲間に引き入れ、ソ連のバルト三国に対する領土拡大や英国のアジア植民地維持との整合性を曖昧にしたことで、崇高な理念も当初から矛盾を抱えていたのである。そして「正義」を全面に出したためにルーズベルトの後の大統領トルーマンもこれを簡単に引っ込めるわけにはいかなくなったのである。戦争に正義を持ち出すことが如何に厄介なことになるか歴史の教訓として学ぶべきである。

そして、「勝っている側が和平のハードルを下げるべきだ」という考えは、日中戦にも当てはまる。こちらは、日本側が和平のハードルを下げる必要があったのだ。

一九三七年十月、ドイツのオスカー・トラウトマン駐支大使の和平斡旋を受け日本政府は和平条件を提示するが、十二月の南京陥落後、日本は第二次和平提案を再提示する。この提案は、賠償金の追加等、条件を吊り上げていた。自ら提案した和平案を自ら破棄したのだ。この後、和平交渉継続を主張する陸軍参謀本部を振り切り、日本政府は、一九三八年一月十六日に近衛声明「国民政府を相手とせず」を発する。和平の千載一遇のチャンスを逃すことになったのである。この日中和平を実現していれば、そもそも日米戦を回避できたかもしれなかったのだ。

政治目標を達成した後は、勝てば勝つほどに和平条件を上げるのではなく、下げるのが歴史の教訓ではないのか。

ドイツは、一九四四年十二月に、乾坤一擲の奇襲作戦に打って出ていた。ベルギーのアルデンヌの戦い（バルジ大作戦）である。奇襲は成功したが、翌年一月のアメリカ軍の反撃によって完全に挫折していた。この致命的な敗北によって、ドイツも日本同様、挽回の可能性はなくなっていた。

そして、終戦の年である一九四五年は、連合国側にとっては、いかに早期にドイツと日本を屈伏させるかという課題と同時に戦後の体制をどうするかが最大の焦点となっていた。二月には、ルーズベルト、スターリン、チャーチルが大戦後の世界をどうするかヤルタで首脳会談を行うことになる。ドイツ・日本に対する勝利を前提とした会談であったが、このころから連合国内の足並みの乱れが顕在化し始めてくる。

ヤルタ会談

一九四五年二月四日から十一日までの八日間にわたり、ソ連邦の一部である黒海沿岸クリミア半島のヤルタに連合国の首脳が集結していた。「お偉方の民族移動」といわれたほど、各国の主要な政治家、外交関係者、そして軍指導者が集結していた。戦後処理を論議するための首脳会談については、ノルマンディ上陸作戦後の一九四四年七月以降、度々調整されたが、ソ連のスターリンが対独作戦指導による多忙や健康上の理由で拒否していた。一九四四年十一月七日に四期目の大統領選を勝利に終えたルーズベルトは焦っていた。早くドイツ、日本を降伏させて、戦後の世界秩序の再構築を自分の手で行いたい。自身の健康不安からも焦燥感に駆り立てられていた。一九四三年末のテヘラン会談では、スターリンはソ連領外の地に出向いてきた。しかし、今回スターリンは頑なに拒否してきた。そして、英米首脳が候補地として、地中海(ギリシャのサロニカ、マルタ島、ローマ)、もしくはイスタンブール、エルサレムを妥協案として指定したが、この提案もスターリンは撥ねつけてきた。結局、米国は黒海以遠の地を諦め、大統領顧問であるハリー・ホプキンスがヤルタを指定し、やっとのことで首脳会談が実現したのである。

場所の選定については、スターリンの意向が反映されていた。この時点で既にスターリンのペースに嵌っていたのである。ヤルタのある黒海沿岸はチフスとシラミの巣であり衛生環境が極度に悪く、士官たちは害虫の駆除に奔走していた。年中温暖な高級リゾート地であったが二月ともなると寒気は楽ではない、そして空港から宿舎となるリバディア宮殿までの悪路を約五時間かけて車で移動する必要があった。出発前からルーズベルトの体調は非常に悪く、ヤルタ到着までの間で極度に悪化していた。このころルーズベルトは執務時間を一日四時間に制限されていた。（実際、米国ルーズベルト大統領は、この会談の約二カ月後に死去する）

そしてスターリンは、各国の宿舎を自ら選んだ。米国の宿舎はリバティア宮殿、英国はヴォロンツォフ宮殿を提供し、ソ連はその中間に位置するユスポフ宮殿に陣取った。米英の間に位置することで両者の動きを監視できるようにし、両者の連絡を遮断したのである。

初代のワシントン大統領が三選を固辞したことから大統領は二選までというのが慣例であったが、「流れの真ん中で馬を乗り換えてはならぬ」（リンカーン大統領も使った古い諺）という考えに基づき、ルーズベルトは一九四〇年七月に三選していた。そして次の四選目については、激務を乗り切るだけの体調に不安があったが、大統領を続けることを決意する。重篤な病をおして四選を選択した決断が正しかったかについては、評価が分かれるところである。特に、アメリカの保守派から、ヤルタにおけるルーズベルトに対する非難は多い。独裁者スターリンを信用して東ヨーロッパをソ連に売ったという見方である。

一九五六年には、共和党のアイゼンハワー政権は「ヤルタ協定はルーズベルト個人の文書に過ぎない。米国政府としての公式文書ではなく無効である」との公式声明を発出している。更に、六十年後の二〇〇五年五月七日に同じく共和党のブッシュ大統領はラトビアのリガで「小国の自由を犠牲にした上にヨーロッパを分断し不安定化をもたらした史上最大の過ちの一つだ」と驚きの演説をしている。

そして、日本の北方領土問題もヤルタの密約が発端となっていることを忘れてはならない。

確かに、ヤルタにおけるルーズベルトの歯切れが悪かったことは、様々な関係者からの証言がある。

「あくびを繰り返していた」

「口を開けたまま、忘我の状態で、会議に口を挟むことはほとんどなかった」

「会議をリードしようとはしなかった」

痩せ衰え精気が失われていたことは誰の目にも明らかであった。そして、多くの関係者に不安感を与えていた。

二カ月後に亡くなったことを考えると体調悪化による気力の喪失に陥っていたことは事実であろう。

多くの証言からルーズベルトは、アルヴァレス病（動脈硬化に伴う微小脳梗塞の多発）に罹っていたことが指摘されている。この病気の影響でルーズベルトの精神は朦朧状態に陥り、会談の進行をコントロールできる状況ではなかったのである。実は、チャーチルもこの時期に軽いアルヴァレス病を患っていたとの証言もある。スターリンも戦後になって同じく脳血管系の病気の影響を受けていたが、このヤルタでは三人の中では最も体調がよく、頭も冴えていた。

ルーズベルトはヤルタ会談の直前に、陸軍長官ヘンリー・スティムソンと原爆開発計画の責任者であるレズリー・グローブスから、原子爆弾の完成はほぼ確実で、それは八月一日あたりには準備できるとの情報を得ていた。従って、ルーズベルトはスターリンに対して、極めて強力な交渉上の「切り札」を得ていたことになる。しかし、ヤルタでは活用されず、交渉は完全なスターリンのペースになっていた。

第二次大戦に対して、三カ国ともに大きな犠牲を払っていた。死者数で言えばソ連が圧倒的に大きな犠牲者数（二千万以上、英国は四十五万、米国は四十二万）を出していたが、英国も第二次大戦勃発以降、戦い続け、ロンドン等の主要都市が爆撃を受けていた。米国もレンドリース法（武器貸与法）で両国を助けてきた自負があった。戦勝国としての「報酬」についてはそれぞれ妥協できない事情を抱えていたのである。

特に、スターリンは、三国共通の敵であるナチスとの戦いの九割を引き受けてきた自負を持っていた。いくら独裁者とはいえ、これだけ多くの犠牲をしいて、手ぶらで帰るわけにはいかなかったのである。また、ルーズベルト、チャーチルは、第二戦線（ノルマンディ上陸作戦）の構築が大幅に遅れた負い目もあった。連合国側の勝利にはソ連の存在が欠かせず、多くの犠牲をソ連に依存してきた以上、戦後処理については、ソ連に一定の譲歩をせざるを得なかったのである。

米国は、参戦前の一九四一年三月（ソ連に対しては十一月）からレンドリース法によって、英国、ソ連、中国、フランスやその他の連合国に対して、膨大な量の軍需物資並びに食料品などを供給していた。その総額は五百億ドルを超え、その内の約二割はソ連に向けられていた。終戦までソ連軍のトラックは、ほとんどがアメリカ製であった。これによりソ連は最強といわれたT34型戦車の量産に集中することが出来たといわれる。スターリンは、ヤルタ会談の中でレンドリース法による米国の支援について、ルーズベルトに感謝の言葉を伝えていた。

ルーズベルトにとって次の目標は、米国を中心とした世界秩序の構築である。このヤルタでの最大の関心は、ソ連を何としてもこの枠組みに入れることであった。そして、最初の総会を米国（サンフランシスコ）で行うことであった。従って、欧州や東アジアでの地政学的な駆け引きに対しては、スターリンやチャーチルほどの執着心はなかったのである。

英国の立場は米国よりも複雑であった。国民はチャーチルの下で約五年もの間、ナチスとの戦いに耐えてきたが、勝利に近づくにつれ戦争に倦《あぐ》んできていた。チャーチルは、その微妙な変化を感じ取っていた。チャーチルは焦っていた。次の総選挙は、間近に迫っていた。

その一方で戦争終結を焦り、スターリンに対し多くの譲歩をすれば、戦後の欧州における秩序はスターリンに牛耳られる。これは何としても避けねばならない。もともとチャーチルは共産主義を嫌悪していた。ナチスに勝つためにスターリンと組んだだけである。

思えば、独ソ戦が開始された一九四一年六月二十二日、チャーチルもその日の内にスターリンに無条件の協力を約束する電報を送っていた。この時チャーチルは秘書に「ヒトラーが地獄へ攻め入れば、私は地獄の大王を支援するのだ」と語っていた。ここでいう地獄の大王とはスターリンのことである。反共主義者のチャーチルも背に腹はかえられなかったのである。そして、七月十二日には、ソ連との軍事協定に調印したのである。

しかし、ドイツの敗戦がほぼ確定した今、いつまでも大王と添い寝をする必要もなくなっていたのだ。

ポーランド問題

ヤルタで会談が行われていた同時期にソ連軍はポーランドに進出して占領地を広げていた。このままではポーランドはソ連の支配下に置かれてしまう。そうなれば、もともと、ポーランドを救うために参戦した英国の立場はなくなってしまう。ポーランドは、ドイツの侵攻によって政治指導者の多くは英国に渡り、ロンドン亡命政府をつくっていた。対するソ連も社会主義者達によるルブリン政権を発足させソ連の傀儡政権の樹立を目指し対立していた。そして、ロンドンの亡命政府は「カティンの森」事件に対し赤十字国際委員会に調査を要請したことでソ連との関係は極度に悪化していた。

※カティンの森事件
ソ連のスモレンスク近郊に位置するカティンの森で数万人にのぼるポーランド軍将校などがソ連内務人民委員部によって殺害された事件で、当時ソ連はドイツの犯行と主張していた。しかし、一九九〇年にゴルバチョフ政権は、ソ連が関与していたことを公式に認めた。

ポーランド政府問題について、チャーチルは総選挙による新政府樹立を主張していた。「われわれはポーランドを自由な独立国として認めない解決策には、絶対に賛成できない」とスターリンに噛みついていた。

スターリンも冷静に応じ、「ドイツは過去三十年間に二度もポーランドを通ってソ連を攻撃した。ポーランドはソ連にとって死活問題である。より強力な独立国である必要がある」と述べている。

ポーランドは西側（資本主義陣営）と東側（社会主義陣営）の間の緩衝地帯であった。もしポーランドが東側の傀儡政権となれば、ソ連は簡単に軍隊を西側の国境に集結させることが出来る、逆に、ポーランドが西側に与すれば立場は逆になる。地政学的には極めて重要な問題であった。

チャーチルは「ルブリン政権は、圧倒的多数のポーランド国民に支持されるような政府ではない。英国にいる勇敢に戦ったポーランド軍がルブリン政権と折り合うことは出来ない。もし我々がルブリン政権を承認したら、英国は全世界から抗議されるだろう。そしてポーランド軍は、我々の行為を裏切りと見なすであろう」と主張する。一方のスターリンも「ワルシャワ政府（ルブリン政権）はポーランド国民から大変人気がある。その理由は、彼らはナチス占領中に自国を離れず戦ったからである。ポーランド人はロシアがナチスを追放し、ポーランド人を解放したことで両国間には良い関係が生まれている」と応戦している。

この問題で英国とソ連は対立を深めたが、ヤルタ会談ではスターリンが自由選挙を認めることで収束する。

しかし、彼がその約束を守る気がなかったことはその後明らかになる。

「自由選挙はいつできるか」とルーズベルトがスターリンに尋ねた。

「一カ月後」というスターリンの返事を聞いたルーズベルトは、「この件については、外相会議の課題にしよう」と提案し、チャーチルもしぶしぶ同意せざるを得なかった。

この時の模様を合衆国陸海軍最高司令官（大統領）付参謀長であったリーヒ元帥は「英国の敗北」とみなしていた。一カ月もたてば、ポーランド全土はソ連軍に占領され、ポーランドはソ連の傀儡政権に支配されることは目に見えていた。こうしてルーズベルトを手玉に取るスターリンに西側は翻弄されていく。チャーチルはスターリンに宥和的なルーズベルトに苛立ちを見せていたはずである。かつて、チャーチルは盟友ルーズベルトと米国参戦前の一九四一年八月、大西洋会議の席で「政体選択の自由と領土保全」を誓い合っていた。ポーランド問題はその試金石であるにもかかわらず、何故自分を積極的に擁護しないのか。そして何故、共産主義者のスターリンを甘やかすのか。

結局、ポーランドで公平な自由選挙は行われず、帰国したロンドン亡命政権は蔑ろにされた。そして、ソ連の傀儡であるルブリン政権がポーランドを支配することになる。スターリンは約束を守らなかったのである。

実は英国とソ連は、バルカン半島について、ヤルタより四カ月前の一九四四年十月九日、チャーチルがモスクワのクレムリンを訪問し、戦後の勢力圏を談判していた。所謂「パーセンテージ協定」という取引である。この席で、チャーチルは地中海の主導権を主張し、一方のスターリンも黒海に対する主導権を主張していた。チャーチルは、スターリンに国名と%を記入したメモを渡しながら説明した、「黒海に面するルーマニアはイギリス十%に対しソビエトは九十%、地中海のギリシャは逆にイギリス九十%に対しソビエト十%、ユーゴスラビアとハンガリーはイギリス・ソビエトで折半（五十%ずつ）、ブルガリアはソビエト七十五%に対しイギリスは二十五%で、どうですか」このチャーチルの提案にスターリンは、「承認」との意思表示をしている。その間わずか数秒の話であったと伝えられる。（このメモ書きは現在、英国国立公文書館に保存されている）

この英ソ談判におけるバルカン半島の扱いは、独ソ不可侵条約におけるモロトフ・リッベントロップ秘密協定（ポーランドを独ソで分割し、バルト三国やフィンランドをソ連支配とする）、更に遡ればドイツ、英国、フランス、イタリアで行ったミュンヘン会議（当事国であるチェコスロバキアを抜きにズデーテンラントをドイツに編入することを決めた）同様に、大国間のバランス・オブ・パワー（勢力均衡）の取引材料にされていたのである。

最終的には、ギリシャを除くルーマニア、ブルガリア、折半とされていたハンガリー、そしてポーランドは戦後ワルシャワ条約機構に編入されソ連の衛星国になる。（ユーゴスラビアはソ連に与せずチトー大統領による独自路線を歩む）ヨーロッパの陣取り合戦はスターリンの圧勝であった。

対日参戦の密約

米国は、このヤルタでソ連の参戦の確約を何としても取りたかった。一方のスターリンにとっても日露戦争の復讐戦によって満州等での権益を取り戻すチャンスと捉えていた。両国の利害は一致していた。あとはソ連の見返りをどう決着させるかであった。

実は、米国が対日戦をソ連に依頼したのは、日米開戦翌日の十二月八日（日本時間九日）に、ルーズベルトからソ連駐米大使リトビニョフに対し要請したのが最初といわれる。そして十日にはフィリピンで司令官をしていたマッカーサーがジョージ・マーシャル参謀総長に提案していた。日本の陸海軍が南方に集中していたので、その隙をついてソ連に北から攻撃させるという案である。この案は、マーシャルからルーズベルトに伝わり、スターリンに提案されている。しかし、当時のスターリンとしては、欧州戦域がドイツ軍の電撃的な奇襲攻撃によって苦戦を強いられており、いずれ極東の精鋭部隊をモスクワ方面に移動する必要があった為、この提案は見送られていた。

この時、米国は、日ソ中立条約があることを知りながら、まったくこれを配慮していた形跡はない。

残念ながら日本も、独ソ戦の趨勢いかんでは、ソ連侵攻のチャンスをうかがっていたことがある。（一九四一年六月二十二日の独ソ戦勃発後、陸軍は関東軍特殊演習という名目で北満州に軍備を移動していた。その規模は、兵力約七十万、飛行機約六百機にのぼる。戦後ソ連政府は、関東軍特殊演習について、日ソ中立条約違反の利敵行為であるとしてこれを非難し、ソ連対日参戦を正当化する論拠としている）

日ソ中立条約とは、もともと奇妙な条約であった。日本はソ連と戦争をしていたドイツと同盟関係にあり、ソ連は日本と戦争をしていた米国と連合を組みレンドリース法で武器を供与されている。日ソ共にお互い寝首をかかれて両面作戦にならないように中立条約を締結していただけである。どこかで均衡が崩れれば呆気なく解消されることを念頭においておかねばならなかったのだ。

ソ連の対日参戦が具体化したのは、日独の敗戦が濃厚になり始めた一九四三年十月に行われたモスクワでの外相会談（米英ソ）の席であった。この時に米国のコーデル・ハル国務長官がソ連のモロトフに参戦を要請している。そして、スターリンは、会談後の晩餐会の席で賛意を表明し、これに対しハルは感謝の言葉を述べていた。

米国はソ連に対日参戦を依頼する立場になり、ソ連はその「代償」を提示出来る立場にたったのである。そしてヤルタ会談がその確認の場であった。

米国は焦っていた。

真珠湾に対する報復は十分でなければ国民は納得しないだろう。従って、安易に和平は出来ない。しかし、これ以上の犠牲を増やすわけにもいかない。米国としては出来るだけ早期に戦争を終わらせなければならなかった。

実は、米軍は対日戦において死傷者の増大に悩まされていた。一九四四年六月のサイパンの戦いでは（日本三万、米国一・六万）であったが、一九四四年九月のペリリュー島の戦いでは（日本一万、米国一・一万）と日米逆転している。そして、ヤルタ会談直後一九四五年二月の硫黄島の戦いでは（日本二・一万、米国二・九万）となっている。（日本の場合死傷者のほとんどが戦死であり致死率では圧倒的に日本が高い）

背景にあったのは、日本軍の大胆な戦術転換にあった。日本軍はガダルカナル、サイパンで大本営指導による「水際撃滅作戦」を行い膨大な犠牲を生んでいたが、ペリリュー島の戦いから戦術を見直し「洞窟陣地構築による持久戦」で米軍を苦境に陥れていたのである。

ヤルタ時点での米軍の戦況判断は、ドイツ・日本の戦力を過大評価していた。ドイツ敗戦の最短日は、七月一日、遅くても十二月三十一日と見込んでいた。（実際の降伏が五月七日）そして、対日戦終了日はドイツ降伏十八カ月後と見積もっていた。米国の読みは戦争終結の時期を一九四七年以降と見ていたのである。従って、ヤルタ会談のタイミングでは、戦争の早期終結には、ソ連の対日戦への参加が不可欠であったのだ。

（しかし、ヤルタ以降の日本に対する徹底した都市爆撃や海上封鎖、更には原爆実験の成功によって日本降伏時期の予想は大幅に早まり、次の首脳会談であるポツダム会談においてはソ連参戦の必要性はほとんどなくなっていた。これは後ほど詳述する）

そして、課題となっていたソ連の見返りがヤルタで議論されることになる。

米国に対し強気のスターリンはルーズベルトに対独戦で疲れ切った兵士を再び東に遠征させるには、それなりの国益がなければならないことを強調していた。そして、「なぜソ連が対日参戦するかを最高幹部会議、そしてソ連国民に説明する必要がある」とルーズベルトに畳みかけていた。

決定内容を見ると、日露戦争で奪われた南樺太はソ連に返還（return）されるとなっている。一方、千島列島はソ連に引き渡される（handover）となっている。このことは、千島列島はもともと日本領であることが前提であったことを意味している。

※千島列島は、日本固有の領土である南千島（北方四島）に加え、一八七五年に締結された樺太千島交換条約により、北千島（シュムシュ島からウルップ島までの十八島）をロシアから譲り受けている。（この時、ロシアに対しては、樺太全島を放棄している。そして一九〇五年には、日露戦争後のポーツマス条約において、

南樺太をロシアから譲り受けていた）

実は、ヤルタ会談の前に米国務省は「ブレイクスリー報告書」を作成し、ルーズベルト大統領とステティニアス国務長官に千島列島に関するレポートを提出していた。

この報告書によれば歴史的経緯から南千島（北方四島）は日本が保持すべきとなっていた。

しかし、ルーズベルトは報告書には配慮せず、南千島をスターリンに引き渡していた。ルーズベルトは反論しなかったのである。

その他に、外蒙古の現状維持、そして満州の港湾（大連、旅順）と南満州鉄道におけるソ連の権益の確保などを条件に、ドイツ降伏後二カ月または三カ月を経て、ソ連が対日参戦することが取り決められた。

ヤルタでの対日参戦密約の問題点の一つは、ルーズベルトとスターリンとの話し合いで合意した秘密協定であったことである。米国側の出席者はルーズベルト大統領、ハリマン駐ソ大使と通訳を兼ねる国務長官補佐官のボーレンだけであり、国務長官のステティニアスは同席させていない。ソ連側はスターリン首相の他はモロトフ外相と通訳のパブロフだけであった。また、合意内容をシェアしていたのは、米国内では出席者の三名の他にマーシャル参謀総長とリーヒ合衆国陸海軍最高司令官（大統領）付参謀長だけであったといわれる。副大統領でルーズベルトの死後大統領になるトルーマンにも知らされていなかった。
そしてもう一つの大きな問題は、中国代表である蔣介石はヤルタ会談には出席していないにもかかわらず彼のいないところで東アジアの処理が論議され決められていたことである。このことは、あとで大きな禍根を残すことになる。（協定には、蔣介石の同意を得ることとなっていたが、最終的にソ連は中国と合意できないまま対日参戦を開始していた。中ソ友好同盟条約は一九四五年八月十四日締結されている。ソ連が満州に侵攻した五日後であった）

後に蔣介石は、ヤルタ会談の内容について「我々は、何のために八年間もの間、抗日戦争を続けてきたのか。ヤルタではソ連だけが利益を得ており英米は何も得ていない。そして、この会議は、第三次世界大戦の新たな火種をつくってしまっている」と、辛辣な評価を下していた。

一方、この密約案文には、ルーズベルトとスターリンの他にチャーチルが署名している。会談に参加していない英国が署名する義務はないと英国イーデン外相は反対したが、チャーチルは署名に積極的であった。極東における英国の権威を手放したくはなかったからである。

ヤルタでの別の席では、「ドイツ降伏後は、英国も対日戦に参加したい」と述べていた。これには米国の関係者は不快感を表していた。

ナチスの打倒という共通目標に対し、英米は一致団結し連携を強化してきたが、アジア植民地政策については反目していた。それは特に連合国側の戦勝がほぼ確定的になった一九四三年から顕在化していった。

チャーチルは、「大英帝国解体を目撃するために首相になったのではない」と植民地の維持をはっきりと主張していた。一方、米国にとってヨーロッパ列強の植民地は、米国の国益から排除するべきものであると考えていた。そして、米国は領有する植民地フィリピンの独立を一九四六年に行うと宣言していたが、チャーチルはインドの独立を最後まで認めなかった。米国の、あるアンケート調査では、「英国は不当な利益を植民地から得ている」に六割近い人がイエスと答えている。米国では、「我々は英国帝国の一味には加わりたくない」との思いを持つものが多かったのである。この辺からも英国と米国の連携は綻びが生じていた。

もう一つの問題は、ソ連との共闘は枢軸に勝つためのものとチャーチルは割り切ったのに対して、ルーズベルトは、スターリンを同じ未来を語れる相手であると感じてしまったことであった。第二次大戦初期において、ルーズベルトとチャーチルは、最大の友人同士であったが、戦争後半になると、ルーズベルトは、チャーチルよりもむしろスターリンとの関係が強くなっていた。

この密約を米ソ両国が公式に発表したのは一九四六年二月十一日になってからである。そして、米国務省が公式にヤルタ会談に関する報告書を出版したのは、十年後の一九五五年三月のことであった。重要な内容は削除され隠されているともいわれている。

ルーズベルトの最大の関心事であった和平維持のための国際機構については、その機構を

「四人の警察官組織」と呼び、その中には米国、ソ連、英国、そして中国が含まれていた。これにフランスを加えた五カ国が現在国際連合の常任理事国となっている。そして投票権を持つ加盟国について、スターリンはソ連の十六共和国も参加させろと主張していたが、最終的には、ウクライナと白ロシア（現ベラルーシ）だけを加えることで調整される。相手の足元をみて大きくふっかけ、最後に実利は譲らず大きく妥協したように見せて相手を安堵させる。これがスターリンの交渉のやり方であった。

ヤルタ会談を終えて、ルーズベルトは、ソ連が対日戦を確約したこと、ソ連が国際連合に加盟すること、最初の会議はサンフランシスコで開くこと、全て自身の目論見通りであり、成果はあったと述べていた。

しかし、ルーズベルトが死の数日前に側近に漏らした言葉がある。「スターリンはヤルタでした約束を反故にした」、最後の最後になってスターリンの本性を見抜いていたとしたら気が付くのが遅かったと言わねばなるまい。

何故ルーズベルトがスターリンに甘かったのか、のちに様々な史実が明らかになってくる。彼はいつの間にか親ソ連派の人々に囲まれていたといわれている。ここでは、戦後論争が絶えなかった二人の重要人物について説明を加えておきたい。

ハリー・ホプキンス、彼は社会福祉・公衆衛生政策の運営に携わっていたが、その後ルーズベルトの目に留まり、政策ブレーンとして、スターリンの調整役となる。彼はスターリンから信頼を寄せられ、彼の進めた政策の多くがソ連の利害に適っていた。ソ連に対しレンドリース法（武器貸与法）を進めたのも彼である。戦後はソ連のスパイとの疑惑を持たれていた。しかし、戦後半年もたたない内に五十六歳の若さで他界している。ホプキンスとはいったい何者だったのか、現在でもその論議は絶えていない。

もう一人、アルジャー・ヒスもヤルタに同行した重要人物である。ホプキンスと彼が病身のルーズベルトを補佐していた。彼は戦後まもなく元共産党員のウィッテカー・チェンバーズによってアメリカ共産党のスパイであることを暴露される。米国内でマッカーシーによる「赤狩り」の時代、一九五〇年に偽証の有罪判決を受けていたが、一九九二年に一旦無罪となる。スパイ行為に関しては訴追を受けてはいなかったが、一九九五年に公開された「ヴェノナ文書」ではソ連のスパイであるとされる。本人は死去するまで無罪を主張しており、こちらも論争は続いている。

※ヴェノナ文書について

第二次大戦が始まり、米英が恐れたのは、ソ連が抜け駆けしてドイツと単独講和を行うことだった。この動きを監視するため、アメリカ陸軍情報部とイギリス情報部が連携して、米国内にいるソ連の外交官等と本国との通信暗号を傍受・解読する「ヴェノナ」作戦を行っていた。（一九四三〜一九八〇年）

そして、戦後の長い期間、傍受内容は厳重に秘匿されていたが、一九九一年のソ連邦崩壊の状況を受け、戦後五十年の節目に暗号解読文書の一部が公開されることとなった。

この中身が衝撃的であったのは、単に米国政府の機密情報がソ連に漏れていただけでなく、米国の政策をソ連に有利な方向に転換するための影響力工作が含まれていたことである。

解読文書の多くは米国ＣＩＡやＮＳＡのホームページにて公開されている一級の一次資料である。

大戦中のホワイトハウスにおけるソ連の影響力工作については、その濃淡の度合い含め議論百出しており、論争は絶えていないが、いずれにせよ、ルーズベルト政権は極めて親ソ的であったことだけは事実である。

原子爆弾の開発

一九三九年七月十六日、レオ・シラードはユージン・ウィグナーを連れ、アメリカ東海岸ロングアイランドの別荘で休暇を過ごしていたアインシュタイン博士のもとに向かっていた。

シラードは、一八九八年にオーストリア・ハンガリー帝国のブダペストで生まれ、後に米国に渡ったユダヤ系物理学者である。彼は、ナチス政権が誕生した一九三三年にドイツに見切りをつけていた。そしてヒトラーがラインラントに進駐した一九三六年に身の危険を感じ、研究室を抜け出しニューヨークに渡っていた。

ヒトラーが政権を取るまでユダヤ人にとってドイツ人は信頼のおける親しみのある人たちだった。そのことは、世界の名だたる科学者、文化人の中にドイツ系ユダヤ人が多いことからも分かる。しかしヒトラーの反ユダヤ主義と迫害は、彼らをドイツから離反させていた。ヒトラーの反ユダヤ人法によって、多くの学者が隣国に隠れたのち米国に移り住んでいた。その数は物理学者だけで百人規模に達していた。

また、シラードは、ハーバート・ジョージ・ウェルズが第一次大戦前の一九一四年に書いた『解放された世界』を一九三二年に読み衝撃を受けていた。この小説の中でウェルズは原子エネルギーを応用した兵器によって多くの都市が破壊されると予言していた。あの小説で書かれた架空の話が現実のものとなるかもしれない。

シラードは、早速アインシュタインに、この年の初め、シラード自身とエンリコ・フェルミ、更には、フランスのフレデリック・ジョリオ・キュリーの研究によって、ウランによる核連鎖反応の実現が現実味を帯びてきたこと、更には、これは極めて強力な爆弾の製造に繋がることを説明した。アインシュタインは、その説明に驚くとともに、その事実を受け入れた。

アインシュタインが特殊相対性理論を発見したのが一九〇五年である。有名な「$E=MC^2$」という公式は、エネルギーは、質量と光速の２乗をかけたものであり、重いものほど大きなエネルギーを持ち、そして質量の消失（質量欠損）が莫大なエネルギーとなることも示唆していた。アインシュタインは、この公式が、一瞬にして都市を消滅させる兵器の出現に繋がってしまうことに当惑したかもしれない。実際彼は戦後、「もし広島と長崎のことを予見していたなら、一九〇五年に発見した公式は破棄していただろう」と語っている。

そしてシラードは、もう一つの重要な情報をアインシュタインに伝えていた。それは、ドイツがチェコの鉱山から産出されるウランの輸出を全面停止したというものであった。このことは、ナチスがウランの核分裂反応に目を付け原子爆弾の開発を開始した可能性があることを示唆していた。

シラードの狙いは、大統領に対する警告を影響力のあるアインシュタインにお願いすることであった。

核エネルギーの開発が平和的に利用出来れば人類に対し大きな恩恵を与えることになるが、もしナチスが先に原爆を持ってしまったら、世界はヒトラーに跪くしかなくなる。

「そして、それはユダヤ人に向けられる可能性がある」、シラードはこの悪夢が現実にならないように米国がナチスに先駆け原爆を開発する必要があると確信していた。

アインシュタインもシラードも米国に亡命したユダヤ系の物理学者であった。

アインシュタインは、躊躇なく、米国政府に対する警告と原子力研究への支援を、ルーズベルト大統領宛に書簡として送ることに合意した。

戦後、これがトリガーとなって米国における原爆開発が開始されたことを知ったアインシュタインは、この時に署名したことを後悔したと伝えられているが、実際はこの書簡によってマンハッタン計画（米国、英国、カナダによる原子爆弾開発・製造プロジェクトで最初の司令部がマンハッタンに設置されたことでこの名称が付けられた）にゴーサインが出たわけではない。

アインシュタインの書簡をルーズベルトに届ける役は、全国復興庁長官で経済学者のアレクサンダー・ザックスが行っているが、多忙なルーズベルトと面談出来たのは十月十一日になってからである。

シラード達の期待に反し、米国政府は、アインシュタインからの手紙に大きく反応することはなかった。小規模なウラン諮問委員会を組織するくらいであった。この委員会の目的は、原子力エネルギーをどう利用するかの研究であり、原爆の開発までは視野に入れてはいなかった。研究予算もたった六千ドルに過ぎなかったのである。一九三九年十月は第二次大戦勃発の一カ月後であり、この時点では米国民の八〇％以上が欧州への参戦には反対の立場を取っていたことも影響していた。ルーズベルトの前には国内の経済不況対策、洪水と干ばつの被害への対策といった喫緊の課題が山積しており、原爆に関してじっくりと腰を据えて考える余裕はなかったのである。

一方、一九三九年九月のドイツによるポーランド侵攻以降、ドイツと交戦状態にあり、バトル・オブ・ブリテンで辛くもドイツの侵攻を食い止めていた英国は、一九四〇年四月には、MAUD委員会（ウラン爆発の軍事的応用の略）を発足し、科学者による原爆製造の可能性を検討させていた。

この中には、英国を代表する物理学者である、ジェームズ・チャドウィック（一九三五年ノーベル物理学賞）、パトリック・ブラケット（一九四八年ノーベル物理学賞）、ジョン・コッククロフト（一九五一年ノーベル物理学賞）らも含まれていた。

そして翌年一九四一年七月十五日には、ウランを用いれば原爆は可能という最終報告を行う。この報告は十月には米国に正式に届けられ、米国も核開発に本格的に舵を切ることになる。この頃、第二次大戦は英国を除く欧州を席捲したドイツがソ連に戦端を開き、モスクワに迫っていた時期であり、米国も第二次大戦に参戦せざるを得ない状況になっていたのである。

原爆の開発・製造のトリガーを引いたのは英国であったが、英国には、膨大な金と時間を必要とする原爆開発を進めるだけの余裕はなかった。そして、二年以内に原爆を成功する見込みを十%と見積もっていた。チャーチルは躊躇することなく「モード委員会の全情報を米国に譲渡せよ」と指示を出していた。

そして英国が先陣を切って進めてきた研究成果は、米国に引き継がれることになる。これが伏線となって、米国が原爆を使用する場合、前もって英国の合意が必要であるという取り決めに繋がっていったのである。

（MAUD委員会の情報提供がなければ、原爆は一九四五年八月には完成されていなかったであろうといわれている）

一方のドイツ国防軍は、一九三九年には非ユダヤ人物理学者を招集し、原爆製造についての討議を開始させていた。このメンバーの中に、一九三二年に三十一歳の若さでノーベル物理学賞を受賞したヴェルナー・ハイゼンベルクが含まれていた。

ハイゼンベルクは、一九〇一年ドイツのバイエルン州ヴュルツブルクに誕生する。神童と呼ばれた彼は、二十代の若さで「行列理論」、「不確定性原理」を提唱し、若くして量子力学の俊英として脚光を浴びていた。アインシュタインと並び称された天才が原爆開発に加わったことは、アメリカにとっては大変な脅威であった。この他にも、フォン・ヴァイツゼッカーなど名立たる科学者がオールスターキャストで加わっていた。

もともと核分裂反応を発見したのは、ドイツの物理学者であるオットー・ハーンとフリッツ・シュトラスマン、そしてオーストリア出身のリーゼ・マイトナーであった。（ユダヤ系のマイトナーはドイツから亡命しスウェーデンに移る）核分裂の理論においてはドイツが米国よりも先んじていたと見られていた。

更に、ハイゼンベルクは一九四〇年十二月の時点で、ライプツィヒ大学の実験室のレベルで簡易的な原子炉の開発に成功していた。「ドイツの核開発は一歩も二歩も米国よりも先んじている」「ハイゼンベルクの天才をもってすればドイツは近いうちに原子爆弾を持つことになる」アインシュタインをはじめ米国の多くの物理学者がこのような危機感を持つようになっていた。

米国が本格的に原爆開発に着手するためにはアインシュタインがルーズベルトに書簡を送ってから三年の年月を必要とした。一九四二年九月、レズリー・グローブスが軍の原爆計画責任者に抜擢される。

グローブスは、一八九六年にニューヨークに生まれる。陸軍士官学校を四番の成績で卒業し、エリートである陸軍工兵隊に入る。そして、一九四〇年大佐となった彼は、国防総省庁舎の建設計画に携わっていたが、急遽、マンハッタン計画の計画責任者に抜擢される。剛腕で有無を言わさず組織を引っ張る粗野な性格は、多くの天才、変人の集まる集団を引っ張るには打ってつけの男であった。彼はこの事業を任されてから毎日十五時間休みなく働き続けた。そして、またたくまに国内十九州とカナダに合計三十七の施設を作り上げていた。

もしグローブスが責任者でなければ、原爆は八月に間に合っていなかったであろう。

科学部門の責任者は、ドイツ系移民の父とユダヤ人の母をもつロバート・オッペンハイマーである。

一九〇四年にニューヨークで生まれた彼は、ハーバードで化学を学び、ニールス・ボーアとの出会いをきっかけに理論物理の世界に入る。彼は広範にわたる科学的知識の他に、六カ国語を操り、卓抜したリーダーシップで科学部門を引っ張ることになる。

細身で青白き天才であるオッペンハイマー、独学でサンスクリット語を楽々とマスターしヒンズー教の経典を原書で読んでいたと言う。趣味はクラシック音楽の鑑賞で、特にベートーベンの弦楽四重奏曲がお気に入りだった。一方のグローブスは、優に百キロを超える恰幅のいい巨漢であり、ブルドーザーのような馬力でプロジェクトを引っ張っていった。

この風変わりな凹凸のコンビはお互いにないものを補完し合い原爆開発に邁進していった。

このプロジェクトには十数万人が関与していたといわれ、国家予算として約二十億ドルが投下されていた。

米国中の頭脳がマンハッタン計画に招集され、科学者だけでも最終的には千五百名になっていた。その中には、「二十世紀最高の頭脳」といわれたフォン・ノイマン（両親はドイツ系ユダヤ人でハンガリー生まれ、その後ナチス政権を避けて米国に移住）、ハンス・ベーテ（ドイツ系ユダヤ人、ナチス政権を避けて英国に渡った後、米国に移住、一九六七年ノーベル物理学賞）、のちに「水爆の父」と呼ばれるエドワード・テラー（ハンガリー生まれで米国に亡命したユダヤ人）、エンリコ・フェルミ（イタリア人であるが、妻がユダヤ人でムッソリーニのファシスト党のユダヤ人弾圧から逃れるために米国に移住、一九三八年ノーベル物理学賞）、ニールス・ボーア（量子論の指導者としてハイゼンベルクとも親交があったが、ユダヤ人を母に持つボーアは、ナチス支配下のデンマークから米国に移住、一九二二年ノーベル物理学賞）、そしてファインマン物理学で有名なリチャード・P・ファインマン（ユダヤ人、一九六五年ノーベル物理学賞）など二十世紀を代表するような科学者達がいた。

ドイツやイタリア、そしてハンガリーといった枢軸国側から米国に逃れた科学者が多数いることが皮肉めいた話である。更に圧倒的にユダヤ系が多いことにも驚かされる。非ユダヤ系ドイツ人科学者と米国のユダヤ系科学者が原爆を開発競争する状態になっていたのである。「原爆を先につくるものが第二次大戦の勝者となる」通常兵器による表の戦いの裏側で核開発競争はエスカレートしてゆく。

原爆製造計画については、更にもう一つ重要な点を補足しないといけない。実は、マンハッタン計画発足の約一年後の一九四三年八月、ルーズベルトとチャーチルは「ケベック協定」を締結し、米国と英国は原爆を共同開発することに合意していた。そしてこの協定には、お互いの同意なくして第三者に使用しない。そして、原爆に関する情報を第三者に対して、お互いの同意なくして公表しない。という内容が明記されていた。つまり米国が原爆を使用する場合、英国の事前合意が必要となったのである。

更には、原爆製造に欠かせないウラン鉱石や重水の豊富なカナダを仲間に取り込むことも忘れてはいなかった。それは、ウラン資源を独占しドイツなどに原爆をつくらせないための措置でもあった。

ケベック協定に基づき核兵器開発の監督、調整のための合同政策委員会が発足するが、このメンバーの中には米英の他にカナダも名前をつらねている。

(尚、広島・長崎の原爆で使用されたウランの多くは、当時最大の産出国であったコンゴで採掘されたものである。ベルギーの鉱山会社から米軍が買い付けている)

米国は焦っていた。一九四二年十二月には、フェルミがシカゴ大学内に「パイル」と呼ばれる原子炉を完成させていたが、先述したようにハイゼンベルクは簡易的な原子炉を既に一九四〇年十二月に完成させていた。従って、単純に引き算すれば二年の開きになる。米国がドイツを追う形で開発競争が始まっていたのである。

そして何よりも、アメリカはドイツ人の優秀さを怖れた。この時代、特に数学や物理、化学、医学、といった自然科学はもとより、哲学、神学、文学、音楽に至るまで、ドイツは世界の先端を走っていた。彼らならば原爆を手中に収めることが出来ると、マンハッタン計画に携わる多くの科学者がそう考えた。

そして、一九四三年ころは、ナチスが既に原子爆弾を持っているとの話が新聞などで盛んに伝わっていた。

しかし、スターリングラード以降敗戦が色濃くなっていたドイツに原爆を開発する余力はなかった。

米国のインテリジェンスは一九四四年の初めにはドイツは原爆を完成させる能力はないと見ていたが、確証が必要であった。

業を煮やした原爆計画責任者のグローブスは「アルソス」という諜報部隊を組織し、ノルマンディ上陸作戦後の一九四四年九月、ドイツ占領下にあったベルギーに諜報員を潜入させていた。彼らの使命は、「ドイツの開発状況の調査」と「ナチスの原爆計画を潰すこと」であった。ドイツのキーマンはハイゼンベルクである。アルソスでは彼に対する暗殺計画が密かに進められていた。一般人であるハイゼンベルクの暗殺を提案したのは驚くべきことに軍関係者ではなく科学者であったといわれている。マンハッタン計画の科学者達は、競争相手のキーマンを暗殺するという非常手段を思いつくほど焦っていたのである。開発のキーとなる起爆装置の目途はたっておらず先にナチスが原爆を持つ悪夢に苛まれていた。

一九四四年十二月、チューリッヒの大学でハイゼンベルクの講演会があり、そこにモー・バーグという工作員を送り込み、「もし原爆完成が間近と確信したら撃て」と指示されていたが、モー・バーグは引き金を引かなかった。


一方、ドイツの原爆開発進捗状況が次第にクリアーになっていく。

そして、アルソス部隊は「ドイツの核開発は止まっていた」という決定的な証拠を掴むことになる。米国側は、ドイツを過大評価し過ぎていた。ドイツは原爆を持っていなかったどころか開発計画は既に止まっていたのである。「ナチスは我々の前をいっている」これは恐怖が作り上げた幻想に過ぎなかったのである。

米英の徹底的な軍需施設に対する空襲によって生産設備は破壊され、何年もかけて開発が必要な原爆を製造する余力は既にドイツにはなかった。もともと独裁者ヒトラーが、アインシュタインの相対性理論などを「ユダヤ人の科学」とレッテルを貼り、原子物理学などに興味を示さなかったことも開発の進捗を妨げていた。

軍需大臣であるシュペーアーは大戦中に実現の可能性が低い原爆開発を一九四二年には断念していたのである。彼は決戦兵器として、原爆ではなく大陸間弾道ミサイル（V２）を選定していた。ナチスの原爆開発に対抗するために国家の総力を挙げたマンハッタン計画がスタートした同じ時期にナチスは原爆開発を実質的に断念していたのだ。錯誤にしてはあまりにも致命的ではないか。もしこの時に、米国諜報機関がナチスの原爆開発に対する情報を正確に入手していたら、マンハッタン計画は頓挫するか、継続したとしても終戦には間に合わなかった可能性が高かったのである。

キーマンであるハイゼンベルクはナチスの反ユダヤ政策には批判的で、最終的にユダヤ人に対し使用されると思われた原爆の開発には次第に腰が引けていったとも言われている。ユダヤ人の仲間をドイツから離反させたヒトラーの思想とやり方にハイゼンベルクは激しい怒りを持っていた。ユダヤ人を擁護する彼は、一部のドイツ人科学者から「白いユダヤ人」といわれ攻撃され、ナチス親衛隊の脅しにあい恭順を強いられていた。一方で、祖国ドイツを何とかして救わねばならないとも考えていた。更には、米国との核開発競争に対する科学者としての対抗心もあったであろう。彼は、非常に辛い板挟みに苦しんでいた。

「ドイツは原爆を開発していなかった」この事実に、米国マンハッタン計画の科学者たちは完全に肩透かしをくらってしまう。原爆を開発する大義を失ってしまった科学者の一部に動揺が走った。ジョセフ・ロートブラット（ポーランド出身の英国の物理学者、戦後は平和活動家として活躍、一九九五年ノーベル平和賞）は、「もはや原爆開発は不要である」と開発チームから抜ける。

この状態を危惧した開発責任者のオッペンハイマーは、科学者達を集めて以下の演説を行ったといわれる。

「原爆を完成させ、実験を行い、この兵器の恐ろしさを世界に知らしめることが世界平和を語るきっかけになる」

言い方を変えると、他国が戦争に訴える意思を持てなくなる程の強力な兵器をつくれば戦争は根絶できるという傲慢な考え方でもあった。オッペンハイマーの演説は巧みであった。この一言で、科学者たちは再び原子爆弾の開発を決意していた。

一方、軍の原爆計画責任者であるグローブスは、「ドイツには必要なくなったが、開発は継続する」と力説していた。一九四四年末には、第二次大戦の趨勢は連合軍勝利で決定的となっていたが、グローブスの頭には、戦後のソ連との覇権争いがあった。ソ連を牽制するためには、米国が核兵器を独占する必要がある。彼の中では仮想敵はドイツからソ連に移っていた。

そして彼にはもう一つ、計画責任者としてのプレッシャーもあった。約二十億ドルの開発費を使い、アメリカの頭脳と呼ばれた科学者を原爆開発に三年近く拘束し、十数万人の体制を敷いたにもかかわらず、何の成果も出さずにプロジェクトを終えるわけにはいかなくなっていた。もしこれだけの資金を他にまわしていれば、「失われずに済んだ命もあったはずだ」と議会で追及されることを怖れたのである。そしてその成果を試す機会として彼の頭にあったのは、トリニティ（ニューメキシコでの核実験）と、戦争を継続している日本に対する実戦での使用であった。

そして、終戦の年、一九四五年に入ると、最大の懸案事項であった「核起爆装置」の設計に目途がたっていた。

ここで原爆について簡単に説明しておきたい。

原爆には二つのタイプがある。

一つはウラン235を使用するものである。天然ウランには、核分裂を起こし易いウラン235は0・7%しか含んでおらず、残りは核分裂を起こしにくいウラン238のため、原爆に用いるためにはウラン235の濃度を高めなければならないが、このウランの濃縮には莫大な費用がかかるため量産には向いていなかった。広島に投下された原爆はこのウラン235を用い、起爆装置は比較的簡単なガンバレル方式を使用したものである。(ガンバレル方式とは、核物質を分割したうえで砲身状の構造の両端に置き、火薬により一方の核物質をもう片方へと衝突させ、核爆発を生起させるやり方である)

このウラン型は「リトルボーイ」と呼ばれた。

もう一つが、プルトニウムを使用するものである。プルトニウムはウランよりも精製が簡単でコストも掛からないため、量産に向いていた。しかし、プルトニウムは、起爆装置としてガンバレル方式が適用できないため、あらたな起爆装置の設計が必要になっていたが、困難を極めた。中央に置かれたプルトニウムを火薬で囲み一気に圧縮して核分裂を起こさせる必要があった。この爆縮（インプロージョン）という技術が最大の技術課題であった。

この爆縮の設計を任されたのが、先述した「二十世紀最高の頭脳」と言われたフォン・ノイマンであった。彼は、推定ＩＱ３００といわれ、その天才的な能力に関しては数々の逸話を残している。

当時の電気計算機よりも速かったといわれる驚異的な計算能力と、一度見たものは決して忘れないフォトグラフィック・メモリー（映像記憶力）を持っていたといわれている。そして、数学、コンピューター、経済学、ほか極めて広い活躍領域で様々な実績を挙げ、「悪魔の頭脳」「火星人」と評されていた。

ノイマンは、一九〇三年にオーストリア・ハンガリー帝国のブダペストで生まれる。この人口八十万ほどの都市からは、驚くほど多くの天才が生まれている。マンハッタン計画に参加したレオ・シラード、ユージン・ウィグナー、エドワード・テラーもブダペスト生まれである。彼は、このブダペストのギムナジウム卒業後、ブダペスト大学に進学するが、同時に欧州で最も厳しいといわれたチューリッヒ工科大学を掛け持ちし、数学、物理そして化学で博士号を取得している。その後、彼は「現代数学の父」と呼ばれるヒルベルトに見出され、最年少でベルリン大学の私講師を務めていたが、ナチス政権を避けて米国のプリンストン高等研究所に移っていた。そこからマンハッタン計画に招集されることになる。彼はこの間も様々な分野で天才的な活躍をみせ、戦後もその活動は衰えることはなかった。後に初のノイマン型コンピューターを開発したのも彼であり、経済学においても「ゲームの理論」を考案している。あのアインシュタインもハイゼンベルクも、「真の天才はノイマンである」と語っていたといわれる。

その彼を中心としたグループが約半年かけて爆縮の設計を終えていた。それはドイツの敗戦が確実になっていた一九四四年末である。

このプルトニウム型は「ファットマン」と呼ばれ長崎に投下されている。（現代においてはこのプルトニウム型が主流となっている）

苦戦していた起爆装置の開発に悪戦苦闘していた最中、「非人道兵器」の使用に懐疑的だった量子論の創設者であるニールス・ボーアが一九四四年五月にチャーチルに「原子力は平和利用に限り、英国と米国、そしてソ連の三カ国で共同管理するべきだ」と提言する。そしてボーアは五月十六日にチャーチルとの会談を実現するが、ソ連に懐疑的であった彼に袖にされていた。更に、八月二十六日にはルーズベルトとも会談する。彼はソ連を受け入れることに抵抗は少なく一定の理解は示したものの大きく動くことはなかった。

その後、ルーズベルトとチャーチルは、一九四四年九月十八日に、ニューヨーク州ハイドパークのルーズベルトの別荘でボーアの提案（ソ連を入れた共同管理）を拒否することで意

見を一致させている。（これは、原爆情報はお互いの同意なしに第三者には公表しないという、ケベック協定の再確認であった）

そしてこの時、あとで問題となる「熟慮のうえ、おそらく日本に使用することもあり得る」ことを話し合ったとされる。

有馬哲夫氏は、「この内容を日本では『ハイドパーク協定』と呼んでいるようですが、英米では初めから『ハイドパーク覚書』とされています。なぜなら、これはチャーチルが一方的にいったことの覚書であって、ルーズヴェルトとの合意内容ではないからです。それにこの内容はアメリカとイギリスのどちらの議会でも承認されていません。したがって、協定でも密約ですらなく、チャーチルの発言の覚書でしかないのです」（有馬哲夫『原爆　私たちは何も知らなかった』新潮新書、二〇一八年より）

この段階で、前向きなのは戦後のソ連との対立を視野に入れ始めていたチャーチルの方であったと思われる。（但し、チャーチルはもともと事前警告してから軍事基地に落とすことを考えていたと言われる）

一方、ルーズベルトは、日本に対して原爆を使うという最終決定はしておらず、一九四四年十二月に、「必要になれば、ドイツと日本の両方に対して使用する。投下する場合、事前に示威実験を行い、最後通告を出す」と語っていたとの証言が残されている。

一九四五年初頭、いよいよ実戦配備をどうするかという段階に入ると、関係者も臨場感が増していった。

米国が原爆使用に対して明確な意思を示したのは、ルーズベルトの死去後に発足させた暫定委員会である。(後で問題になった時に暫定的と言い訳できるように暫定委員会という呼称にしたと言われている)

五月三十一日の最終結論では、原爆を日本の都市(労働者の家屋に囲まれた軍需工場)に対して無警告で使用するという決定を下していた。ルーズベルトの後、大統領を引き継いだトルーマンは、その結論に反対せず黙認していたのである。

四月二十七日に米陸軍情報部隊は、ドイツが行った原子力関連の全記録を押収しており、五月七日にはドイツは降伏したため、ナチスとの原爆競争の必要はまったくなくなっていたにもかかわらず米国は原爆の使用を決定したのである。

会議の中で無警告を主張したのが、大統領代理人で後に国務長官となるバーンズであった。彼が無警告に拘った理由は、「事前警告とすると意図的にアメリカ軍の捕虜を爆撃地点に集める危険もあるだろう」更には、「原爆は爆発しないかもしれない」ことを挙げていた。

また委員会のメンバーで開発責任者のオッペンハイマーは、原爆情報をソ連と共有するべきであると主張し、参謀総長のマーシャルもソ連の代表を実験に立ち会わせるべきであると主張していたが、バーンズはソ連が米国同様に原爆を所持した場合の安全保障上の問題からこれら宥和的な考え方を一蹴していた。バーンズはどこまでも政治家であり、リアリストであった。

そして、科学者の中で原爆使用に反対するグループの動きも顕在化していった。

一九四五年六月十一日に、ジェームス・フランク博士やシラードが中心となってまとめた「フランクレポート」（政治的・社会的問題に関する委員会報告）がある。レポートの最終結論としては、「核兵器のアメリカによる独占状態も長くは続かないだろう。核戦争の危機を回避するためには国家間の国際的合意を行う以外にはない。そして、もし日本に対する予告なしの原爆使用を行えば、米国は他国からの信頼を失うことになり、国際間の合意形成は困難になるであろう」更には、「それでも原爆を使用する場合は、無警告投下に代わって、無人地域でのデモンストレーション実験を行うことにとどめるべきだ」と提案している。そして驚くべきことは、ソ連との核戦争になった場合、人口と産業が集中している米国よりもソ連が有利になることを予測している点である。この考えは早速フランクレポートとしてスティムソン陸軍長官に渡ったが、暫定委員会の結論が出た後のタイミングであったこともあり反応はなかった。

フランク委員会以外でも、科学者達は、原爆使用について論議を続けていた。フェルミ、オッペンハイマー、シラードの他、アーサー・コンプトン（一九二七年ノーベル物理学賞）、アーネスト・ローレンス（一九三九年ノーベル物理学賞）などの物理学会の重鎮が加わり白熱していく。

実戦使用派は、戦争の早期終結には原爆が必要であると主張していたのに対し、反対派は、人道に対する罪を怖れた。もし実戦で原爆を使用した場合、米国の国際的信用は地に落ち、戦後の国際間協調においてアメリカ人がイニシアティブを取れなくなると主張していたが、最終的には原爆を容認する方向で傾いていた。

驚くべきことに後に「水爆の父」と呼ばれ批判の多かったエドワード・テラーは、原爆への投下には反対していた。戦後、日高義樹氏のインタビューでは以下に答えていた。

「いまにも倒れそうな敵を葬《ほうむ》るのに、ものすごい兵器を使う必要はないと思った。日本に原爆を使う必要はまったくなかった」……略……

「私はアメリカの名誉のためにも、原爆を投下する前には、落とす地域の人に前もって知らせるべきだと思っていたし、いまもその考えは変わっていない」（日高義樹『なぜアメリカは日本に二発の原爆を落としたのか』PHP文庫、二〇一四年より）

テラーは、もっと別の方法で犠牲者を最低限に抑えたやり方があったことを主張していた。たとえば東京の上空、非常に高いところで原爆を夜間に爆発させて、東京を真昼のように明るくし、そのあと日本政府に対して、次に原爆を落とすときには低空で爆発させる、そうすれば大勢の人が死亡する、と警告するやり方もあった。だが私の主張は提案もされなかった、と述べていた。

アインシュタインの手紙の仕掛け人であったシラードは、日本に対する原爆使用反対の署名を集め「請願書」として大統領に提出しようとしたが、大統領のもとには届かなかった。

科学者に対する意識調査では、約八割が「日本に使用する前に示威実験するべきである」と回答していたが、この結果は闇に葬られていた。

多くの科学者達の抵抗はあったが、暫定委員会の結論を覆すことは出来ず、日本への原爆投下の方向で収斂していったのである。

あとは、何時どこに落とすかが論点となっていった。（この点については、「トルーマン大統領の誕生」の章で詳述する）

実は、責任者のグローブスは、ヤルタ会談前の一九四四年末の段階で、極秘裏に原爆投下計画を作成していた。計画書には、一発目は七月、二発目は八月初旬に準備、一九四五年末までに更に十七発つくることが書かれていた。

B29

戦略爆撃機B29の開発が具体化したのは、一九三九年九月ナチスがポーランドに侵攻した直後であり、開発コンセプトは、「行動半径二千マイル（約三千二百キロ）を可能とする四発爆撃機」という壮大なものであった。（最終的には、翼幅四十三メートル、全長三十メートル、高度一万メートルでの飛行が可能で、爆弾搭載量は最大九トン、航続距離は爆弾搭載時で約五千三百キロという空の要塞を生んでいた）

そして、一九四一年十二月、航空機の重要性を決定づける大きな事件が起きた。日本軍による真珠湾攻撃である。日本軍は、「ルーズベルトの百万ドルの拳骨」と呼ばれたハワイ米国太平洋艦隊の戦艦八隻を、空母六隻から発艦した約三百機の飛行部隊によって粉砕したのである。

早速、ルーズベルトは、関係者に「日本本土を爆撃出来る計画を一刻も早く策定せよ」と檄を飛ばした。

米国の第二次大戦を通じて一貫した戦略思想は、最強の敵ドイツの打倒が最重要であること。そして、そのドイツを倒すためには、まずドイツとイタリアを北アフリカそして地中海から一掃すること。更にドイツと日本に対して戦略爆撃を実施することであった。第二次大戦を俯瞰すると、米国はこのストーリー通りに戦いを進めていたことが分かる。

アメリカは、国土が広く、南北に対する国は、メキシコとカナダであり安全保障上脅威となる相手ではない。更に東西には大西洋と太平洋という広大な海に囲まれており、海からの侵入に対しては強力な海軍があれば何とかなる。もし敵国が本土に侵入してきた場合は陸軍が対応すれば何とかなる。「誰が飛行機で攻めてくるというのだ。アメリカに巨大な空軍は必要ないだろう」これが、第二次大戦前の空軍に対する陸海軍の見方であった。

従って、当時の米国において空軍は陸軍の下部組織であり、独立した軍組織ではなかったのである。この空軍を陸軍から独立させることは、当時空軍のトップであり、後に「アメリカ空軍の父」と呼ばれたヘンリー・アーノルドの念願であった。

アーノルドは、一八八六年、ペンシルベニア州に生まれる。一九〇七年に陸軍士官学校を卒業した彼は、早くから飛行機乗りとして頭角を現し、順当に出世していく。彼に影響を与えたのは、当時、異才といわれたウィリアム・ミッチェルであった。彼は、大鑑巨砲全盛の時代に、独立した空軍の創設と戦艦不要論を唱えていた。

ミッチェルは、一九二四年の報告書の中でこう記している。「ある晴れた日曜日の朝7時半、日本の航空機が真珠湾の基地を攻撃する」、真珠湾攻撃の十七年前に、彼は未来を正確に予測していたのである。しかし、航空機が戦争の主役となることを執拗に主張するミッチェルは、多くの軍関係者から厄介者扱いされていた。「予言者郷里に容れられず」である。

「空軍による戦略爆撃によって、敵の軍を支える兵器工場や補給基地といった中枢を叩くことで、戦争を早期に決着させることが出来る」ミッチェルの当時としては革命的な戦略思想を理解し擁護する動きはなかった。彼は多くの陸海軍関係者を敵に回し、一九二六年に陸軍を除隊されている。このミッチェルの後継者といえる存在がアーノルドであった。彼はミッチェルになかった政治力を持っていた。日米戦勃発時には、アメリカ陸軍航空軍で中将に昇進、翌年には陸軍航空軍司令官に昇格し大将に上り詰めていた。そして、軍事戦略を策定する最高機関である統合参謀本部の指導メンバーに抜擢されている。ルーズベルト大統領を長とするわずか五名の組織であったがその一員となったのである。そして、リーヒ合衆国陸海軍最高司令官（大統領）付参謀長、陸軍トップのマーシャル参謀総長、海軍トップのキング作戦部長といった陸海軍の大物たちから小僧扱いを受けることになるが、意見を言える立場になっていた。

欧州における第二次大戦の勃発と、日本軍の真珠湾攻撃は、アーノルドの野望を実現するための千載一遇のチャンスとなっていた。

アーノルドの野望とB29については、鈴木冬悠人『日本大空襲「実行犯」の告白』（新潮新

書、二〇二一年）から引用する。（本書は、日本大空襲に関しアメリカ側の視点から書かれた名著であり、一読をお勧めする）

略……B－29の開発計画は、特別プロジェクトとして立ち上がったため、アメリカ軍のどの組織が指揮権を握るか、決まっていなかった。そのため、日本に迫っていた陸軍のマッカーサーも海軍のニミッツも最新鋭の大型爆撃機・B－29の指揮権を欲しがったのだ。……略……アーノルドは、B－29の指揮権を自分が握るため、陸・海軍の指揮命令系統から切り離す異例の体制づくりに尽力する。だが、マッカーサーやニミッツのような重鎮は、自分の力だけでは説得できなかった。政府や軍の要人のもとを走り回り、自らにB－29の指揮権を委ねて欲しいと頼み込んだ。……略……そして最終的に、航空軍が独自の空爆作戦だけでなく、陸・海軍の攻撃のサポートもすることを条件にアーノルドは指揮権を手にしたのだった。30億ドルという巨額の開発費をかけたB－29運用の全責任を負うことになった。

B29の開発において原爆開発責任者であるグローブスらと同じ立場にあったのが、アーノルドであり、その部下であるカーチス・ルメイ達であった。アーノルドは、戦争中にプレッシャーによる心労から四度の心臓発作を起こしている。

原爆の開発費用二十億ドルに対しB29の開発費用はそれを凌駕する三十億ドルに上っていた。もし結果を出さなければ、全軍を指揮する統合参謀本部、政府、そして議会からも総攻撃を受ける。追い詰められた人間は平時ならば考えもしない悪魔的な行為を行ってしまうことを我々は教訓として学ばなくてはならない。

（この二つのプロジェクトのトータル五十億ドルは当時の日本の年間国家予算の約九十倍と推計される）

B29が日本本土空襲のためにマリアナ諸島に登場したのが、一九四四年十月のことである。同年五月には運用を開始していた。逆算すると開発期間は約四年の超短期間であった。

B29の最大の特徴である超高高度一万メートルは、日本の戦闘機では迎撃不可能であると言われた。更に、マリアナ諸島から出撃して日本本土を空襲出来る航続距離を有していた。（マリアナ諸島から日本本土までの距離約二千四百キロに対してB29の航続距離は約五千三百キロ）そして、爆弾搭載量は最大九トンに達していた。

これだけ革新的な飛行機の開発を約四年で行うことは、常識的には不可能である。これを可能にしたのは、ボーイング社（胴体）、ライト・エアロノーティカル・コーポレーション（エンジン）を中心とした様々な分野の企業や大学関係者の協力体制であった。原爆も同じである。

米国の軍産複合体とはいかなるものか。そして、総力戦とは何か。このB29や原爆の開発は、その真の姿を物語っている。

当初、米国は、一般市民への空爆を禁じた国際法規の遵守を意識していた。そして、一般市民が住む居住地ではなく、軍事施設や補給路を集中的に叩くことを考えていた。いわゆる「精密爆撃」である。

B29には、自動操縦装置と連動した最新鋭のノルデン爆撃照準器が装着されていた。これは、米軍の最高レベルの軍事機密の一つとされた照準装置である。

実は、この照準装置は、欧州におけるドイツに対する戦略爆撃で使用されていた。爆撃機はB29誕生以前に米軍の主力であったB17である。一九四三年に精密爆撃が行われたが、成果は芳しくなかった。

実戦では、敵機の攻撃があり、天候の変化も精度を狂わしていた。結局、ノルマンディ上陸作戦（一九四四年六月）の成功によって、空軍は陸軍のサポート、つまり脇役に追いやられてしまっていた。

アーノルドは、空軍によって敵の中枢を攻撃しドイツを屈服させるという野望に燃えていたが、欧州で結果を出せなかったのである。そして、陸海軍から猛烈な批判にさらされていた。

欧州戦線では、ドイツが爆撃機、V1、V2ロケット兵器でイギリス市民を攻撃すると、英国はその報復に無差別爆撃をドイツの都市に加えている。そして、爆撃はエスカレートし、それはドイツ降伏まで続けられていた。米軍は軍事施設、軍事工場などの昼間精密爆撃を行い、英国はランカスター、ハリファックス、スターリングといった空軍爆撃機で都市の無差別爆撃を行うという分担がなされていた。そして、爆弾や焼夷弾が軍事施設、一般人が住む都市に投下されていた。

極めつけは、ザクセン州のドレスデンに対して行われた大空襲である。ヤルタ会談直後の一九四五年二月十三日から十五日にかけて既に瀕死の状況にあったドイツの、特に軍事施設があるわけではない「エルベ河畔のフィレンツェ」と呼ばれた文化都市ドレスデンを空爆している。投下された爆弾の総量は三千九百トンにのぼった。(死者数は二万五千人。諸説あり)

因みに、「ドイツのヒロシマ」といわれたハンブルク大空襲で投下された爆弾量は九千トンに上る。あの三月十日の東京大空襲で落とされた焼夷弾の総量が千六百トンであるから如何に凄まじい空爆であったかが窺い知れる。

次は、日本だ。アーノルドの野望の矛先は、日本に向いていた。B29で日本を降伏に追い込み、大きな実績をつくり、念願の空軍独立を実現してみせる。

そして、一九四四年十月、B29と共に、マリアナ諸島に降り立ったのは、日本への空爆を指揮するヘイウッド・ハンセルである。ハンセルは、精密爆撃の第一人者であった。

彼は、日本の一般市民の犠牲を最小限にするために、精密爆撃に拘った。目標は、日本の航空機生産施設であり、エンジン製造の要である中島飛行機武蔵製作所の工場であった。

当初行われた精密爆撃の実績については、先述した『日本大空襲「実行犯」の告白』より筆者要約する。

一九四四年十一月二十四日

サイパン島から飛び立ったB29は百十一機。最重要目標は、中島飛行機武蔵製作所である。

目標の中島飛行機の工場にたどり着くことができたB29は、出撃した機体の4分の1以下のわずか二十五機であった。そして爆弾の命中率は、わずか7%であった。

一九四四年十一月二十七日

再び八十一機のB29が出撃する。しかし分厚い雲に覆われ、目標である飛行機工場を発見できなかった。

一九四四年十二月三日

発進した七十二機のうち、三十九機が中島飛行機の工場上空に到達し、爆撃した。だが、爆弾の命中率は2・5%と散々な結果に終わる。

一九四四年十二月二十七日

七十二機のB29で、再び中島飛行機の工場へ爆撃を行った。目標に命中した爆弾は、わずか6個。

ハンセルの精密爆撃は上手くいかなかった。この失敗の要因は、気象条件であった。冬場には厚い雲に覆われることが多かったため、標的を目視しなければならない精密爆撃にとって致命的であった。更には、一万メートル上空付近では「ジェット気流」と「偏西風」の影響をもろに受けていた。

ハンセルは、精密爆撃を諦めず、精度向上に努めていた。ワシントンから焼夷弾攻撃を促す指令に対してアーノルドに抗議していた。

結果が出せないアーノルドは焦っていた。そして、彼を解任する決定を下す。最初の爆撃から二カ月しかたっていなかった。非情と言えばあまりに冷酷であった。一九四五年一月、ハンセルはマリアナを後にする。精密爆撃に対する成果がやっと出始めた矢先の出来事であった。

ハンセルは徹底して精密爆撃に拘ったのは事実であるが、天候等の理由で投下出来なかった爆弾は、どうしたのか。最初に爆撃を行った十一月二十四日の「作戦任務報告書」は以下の内容であった。

そこには、第一目標としては、軍需工場・東京中島飛行機武蔵製作所があげられていた。地図上に印がつけられている。しかし、文書には、それだけではなく第二目標が示されていた。
「東京市街地と港湾地区」と記され、地図上の広範囲なエリアが塗りつぶされていた。第一目標よりも、はるかに広いターゲットを「第二目標」として示していたのだ。（NHKスペシャル取材班『ドキュメント　東京大空襲　発掘された583枚の未公開写真を追う』新潮社、二〇一二年より）

無差別爆撃は後述する三月十日の「東京大空襲」からというのが定説であったが、実際は、小規模ではあるがその前から行われていたのだ。

そして、ハンセルの後任に任命されたのは、あの「東京大空襲」を指揮したカーチス・ルメイであった。彼は、陸軍航空軍史上最年少で少将になった男である。苦戦した欧州でも武功をあげていた米空軍のエースであった。

東京大空襲

ハンセル後任のカーチス・ルメイも実は、当初、ハンセル同様に精密爆撃を試していたが、ほとんど成果を出せていなかった。ハンセル同様に東京特有の気象条件に悩まされると同時に、超高高度でも迎撃してくる日本軍機にも悩まされていた。

ハンセルは赴任から三カ月で解任を言い渡されクビにされていた。早く結果を出さなければ自分もクビにされる。恐怖がルメイを追い詰めていた。アーノルドに対してもルーズベルト大統領から「早く結果を出せ」と直々にプレッシャーがかかっていた。

欧州での戦争は終わろうとしていた。ヒトラー最後の反攻といわれたアルデンヌの戦いでドイツ軍は敗走し、東部戦線ではソ連がドイツ軍を圧倒していた。もうすぐ戦争は終わる。これ以上の戦争はご免である。多くの連合軍兵士が戦争に倦み始めていた。チャーチルも国民の支持を失い始めていた。そして七月には政権の座を降りている。

日本との戦争は一日でも早く収束させなくてはならない。米国政府も国民から突き上げられていた。アーノルドには時間がなかった。ここで躊躇していては、B29は、マッカーサーやニミッツに取り上げられてしまう。そして空軍独立の野望実現は不可能になる。業を煮やしたアーノルドは、ルメイに対して焼夷弾爆撃の命令を下した。

これは精密爆撃中心の空爆から「無差別都市爆撃」への全面的な転換であった。そして、このことは一般人と軍事施設を切り分ける必要などなくなったことを意味した。

ルメイに対しては、焼夷弾爆撃に対する具体的な指示はなく現場に白紙委任した状況にあった。

ルメイは、肉声テープの中で、当時の思いを語っている。（『日本大空襲「実行犯」の告白』より）

「略……6週間の終わりに、自分の成果を振り返ったときに私はほとんど何も成し遂げておらず、何か違うことをしなければなりませんでした。

戦争では、破壊をしなければいけません。B－29で良い結果を残し、陸軍と海軍に見せつけなければなりません。この航空軍を生み出すためにアーノルドが戦った全ての戦いに報いなければなりませんでした。ですから、私は過激なことをするつもりでした」

実は、米軍は一九四三年十月の段階で、日本に対する焼夷弾による空爆作戦を策定していた。東京大空襲の一年半前のことである。ルメイに命じた焼夷弾作戦は精密爆撃が上手くいかなかった場合の代替案として既に準備されていたのである。そして焼夷弾爆撃の実験をユタ州の砂漠地帯で行っていた。砂漠には、日本の下町の住宅街を人工的につくり出し、実際に焼夷弾を使って最も効果的なやり方を検討していたのである。

この点については、ハンセルの肉声テープが残っている。（『日本大空襲「実行犯」の告白』より）

「B－29を使った焼夷弾による都市空爆については、ルメイ自身の決断ではなかった。それは少なくとも1年以上前の基本計画において、すでに考えられていたものである。……略……ただ、私たちは、『実際にその作戦がおこなわれるべきではない』ということについて合意していた。それを昼間爆撃として、バラバラに行うということは非常に危険なことであった。敵の激しい反撃に遭う可能性があったからだ。だから、もしそれを行うのならば、記憶に残るように非常に大規模に、激しく行う必要があった。当時、私が指揮していた頃には、その準備ができなかったので、焼夷弾による攻撃を先送りにしてきたのである」

略……ハンセルが指揮していた時には、その準備が整わず実現できなかった。だが、ルメイが指揮するようになってから、その状況が変わったというのだ。

「ルメイが実行する3月の東京大空襲までに3つの状況が偶然発生した。1つは、大規模な攻撃を実行できるだけの十分なB－29が揃ったこと。2つは、予測されていたほどには日本の空軍が強力なものではないことがわかったこと。3つは、私たちは、どのような精密爆撃の成功も見込めない日本の天候があることを知ったこと。こういったことをすべて考慮すると、その他の手段よりずっと容易で単純、そして安全な焼夷弾による空爆作戦について肯定的な結論が出てくるのは自然なことだった」

一九四五年三月十日、その時は訪れた。

三百二十五機のB29に千六百トンを超える焼夷弾が積み込まれていた。

ルメイは、東京には低空用対空砲火がないことを察知していた。もう一万メートルの超高高度から爆弾を投下しなくともよいと判断し二千メートルまで高度を下げることに決定する。低空であれば天候の影響は高空よりも受けにくいし、燃料も少なくて済む。そして、昼間爆撃ではなく夜間爆撃を行うことも決定していた。

十日、東京の下町は焼け野原となった。

戦後、日高義樹氏のインタビューに応じルメイは以下に答えている。

東京を全面爆撃したことについて「日本人の戦う意志をくじくには、首都を徹底的に爆撃するほかなかった」

「日本に戦争をやめさせる任務を全《まっと》うしただけだ」

「原爆を使わなくても、我々が日本に圧力を加えつづけていたので、無条件降伏させられることは確実だった。日本本土への上陸作戦も必要ではないと思っていた」

（『なぜアメリカは日本に二発の原爆を落としたのか』より）


十二日には、B29は名古屋に現れた。そして十四日には大阪、十七日は神戸、十八日は北九州、二十日にはふたたび名古屋というふうに畳みかけてきた。

この東京大空襲で使用された焼夷弾は、ナパーム弾といわれた。ハーバード大学や当時世界最大の石油会社スタンダードオイルが中心となって開発した当時としては画期的な爆弾である。日本側の記録からも、一度炸裂したら消火できなかったとされる。

そして、日本の六十以上の都市を焼き尽くし、犠牲者は四十万人以上にのぼっていた。

そして更に、米軍（海軍と陸軍航空部）は日本の港を機雷で封鎖して海上交通を遮断する作戦も同時並行して行っている。海外からの物資の供給を止めて日本を兵糧攻めにする作戦である。これを続けていれば確実に日本は息の根を止められていた。逆に言えば、原爆投下など必要はなかったのだ。戦後、実戦で戦っていた米軍の多くの将軍たちが、「原爆は必要なかった」

と語っているのである。

ここで、日本が行った重慶爆撃についても書き加えておかなければフェアではないだろう。日本軍の南京攻略後、中国軍は首都機能を漢口から更に奥地にある重慶に移した。ここは、天然の要害であり地上軍による攻略を阻んだため、日本軍は、重慶並びに成都に対する爆撃を行う。

一九三八年十二月に開始され大規模な爆撃だけで合計三十七回（海軍二十九回、陸軍八回）行われている。ここでも最初は軍事施設に限るはずであったが、霧が深く、更には、中国軍が市街地に高射砲陣地を設置したこともあり、結局は無差別爆撃との評価になってしまう。この重慶爆撃は国際社会から厳しく非難されており、米軍が日本に対して行った無差別爆撃の際も正当化の理由に使われていた。

この重慶爆撃を主導したのは、陸軍ではなく海軍であった。海軍は蔣介石政権を崩壊させるため、「百一号作戦」（一九四〇年五月十七日から九月五日）という大規模航空作戦を実施していた。そしてこの作戦を主導したのが、井上成美支那方面艦隊参謀長であった。

井上は、何とか日中戦を終結させたいと考えており、この作戦を日露戦争における日本海海戦に匹敵する分水嶺であると捉えていた。そして、軍令部第一部長である宇垣纒少将に軍備の増強を訴えていた。

井上は、三国同盟、日米開戦に反対した親英米、リベラル派の軍人で「反戦大将」といわれていた人物である。その井上も、目に見える結果が求められ、実戦で追い詰められると、結果的に無差別爆撃までいってしまうのである。

そして、日本には、もう一つの危機であるソ連軍の満州侵攻が迫っていた。

満州に迫るソ連軍

先述したように、一九四三年十月のモスクワでの外相会談で、ドイツ降伏後、ソ連が対日戦に参加することは、連合国内で極秘の合意事項になっていた。そしてこのことは、同年十一月のテヘラン会談、更には一九四五年二月のヤルタ会談で米英ソのトップによって再確認されていた。

満州侵攻後、ソ連は対外的には、「約束を守った。平和のために信義を守った」ことを繰り返し強調している。要は、満州侵攻はソ連の単独行為でなく、米英から頼まれ合意した内容であることを強調したかったのである。一方、スターリンにとって満州侵攻は、日露戦争の復讐戦であり、東方への領土の拡大が目的であった。

スターリンが対日戦参加の見返りを正式に表明したのは、一九四四年末にハリマン駐ソ大使がクレムリンを訪問した時であった。その見返りの中には、満州の権益の他に南樺太と千島列島が含まれていたことは、「ヤルタ会談」の章で説明した通りである。

ソ連の満州侵攻に関する具体的な作戦計画はヤルタ会談前後に検討が開始されていた。

もともとは八月末に侵攻する計画であった。

日本にとって不幸中の幸いだったことは、スターリンが極めて慎重な性格であったことである。彼は、日本との戦闘は、圧倒的な戦力差でなければならないと考えていた。

その背景には、一九三九年のノモンハンの戦いで、勇戦力闘した日本軍に対して「決して侮ってはいけない」との印象を強く持ったことが影響していると思われる。

ノモンハンを指揮したジューコフは戦後のインタビューでも「もっとも苦しい戦いはハルハ河（ノモンハン）だった」と答えたとの証言もある。そのジューコフはスターリンに初めて引見した時、日本軍についての感想を求められた。「われわれとハルハ河で戦った日本兵はよく訓練されている。とくに接近戦闘でそうです」「彼らは戦闘に規律をもち、真剣で頑強、特に防御戦に強いと思います。若い指揮官たちは極めてよく訓練され、狂信的な頑強さで戦います。若い指揮官は決まったように捕虜として降参せず、『腹切り』をちゅうちょしません。士官たちは、とくに古参、高級将校は訓練が弱く、積極性がなくて紋切型の行動しかできないようです」と答えている。（『ジューコフ元帥回想録』）

ソ連は、満州侵攻作戦には、日本軍の倍以上の兵力と圧倒的な戦車、航空機が必要であると考え、その準備には少なくともドイツ降伏から三カ月以上必要と判断していた。もし二カ月で十分と判断していたら、北海道の半分を失っていた可能性もあったのである。

実際の戦力差は、兵数でソ連約百五十万に対して日本軍は約七十万と倍以上、戦車に至っては日本の百六十両に対してソ連は五千五百両と約三十五倍、航空機は日本軍百五十機に対しソ連は三千四百機と二十倍を超えていた。

満州の関東軍は、精鋭部隊を太平洋での激戦地に三十万、そして本土決戦用の兵力に十万引き抜かれており、その不足分を満州に渡っていた居留民が埋め合わせることになる。所謂「根こそぎ動員」として約二十五万が招集されていた。七十万の兵力も「張子の虎」状態だったのである。

ソ連が対日戦の準備を開始したのは、一九四五年四月の日ソ中立条約の不延長を通告した後である。そして、兵員の極東への移動が本格化するのは五月八日のドイツ敗戦以降になる。この間にソ連はシベリア鉄道をフル稼働させて戦車、飛行機、各種砲力などを東に送っている。輸送の為の貨車数は実に十三万六千輌にのぼっていた。ソ連側で指揮を執ったのは、ジューコフと並ぶ独ソ戦の英雄ワシレフスキー元帥である。（開戦時少将であった彼は、一九四三年二月には元帥に就任している）

独ソ戦で傷つき疲弊しきったソ連軍に休息を与えず鞭うつことなどスターリンにとって何の躊躇もなかったのである。

一方、大本営も、ソ連が攻めて来る予兆は察していた。

スターリンは、一九四四年十一月の革命記念日前夜祭の演説で日本を初めて侵略国家と批判している。更には、一九四五年四月五日には日ソ中立条約の不延長を通告している。これらを危険な警告と感じないものはいないであろう。その恐れはドイツ敗戦後の五月以降、目に見える形で顕在化していった。

参謀本部作戦課の朝枝繁春中佐は、満州前線の視察において、「日本は対米戦で戦力を失い抵抗不能の状態で、ソ連は必ず参戦してくる」との結論を下していた。そして、時期については、参謀本部内は二つの見方に分かれていた。一つは、八月か九月初旬には来るだろうという冷静なものと、もう一つは、スターリンは日本の国力が更に弱体化し米軍の本土上陸作戦が開始するまでは動かないだろうという楽観的な見通しであった。危機管理上は、前者で考えるべきであるが、今来られては成す術もない。ここに無意識の希望的観測が影響してくる。参謀本部は、いつの間にか後者の楽観論が主流になっていた。

一方、駐ソ陸軍武官補佐官であった浅井中佐は、満州の関東軍総参謀副長の松村知勝少将に警鐘を鳴らしていた。「シベリア鉄道の駅ごとに戦車を積んだ、飛行機を積んだ列車が列をなしていた。これらが東の満州国境へ向かっている。ソ連が満州に侵攻することは間違いない」

と報告している。

更に関東軍は、国境線の偵察、更にはクーリエ（日本からモスクワの大使館に向かう外務省の使い）からの情報によって、集結しつつあるソ連軍の兵力をほぼ正確に把握していた。

こうした情報に対し、松村をはじめとした関東軍参謀たちは本国の参謀本部同様に、ソ連が早晩参戦するであろうことは当然であると理解していたが、同じく楽観的な見方に流されていた。

関東軍の作戦の基本は、ソ連を刺激しない「静謐確保」であったが、いざという時の作戦計画を七月五日に策定している。中身は後退持久戦に持ち込み朝鮮半島を防衛するというものであり準備完了の目途を九月末としていた。これは、ソ連が最終的に八月九日に満州に侵攻してきた結果から考えるとあまりにも甘い見方であったと言える。

河辺次長をはじめとする参謀本部のトップも「独ソ戦で消耗仕切ったソ連軍が、返す刀で、満州に来るとは想像できなかった」というよりも、そう考えたかったのである。

最悪の事態を想定した作戦ではなく、こうあって欲しいという願望が、作戦立案の前提となってしまっていたのである。

それでは、このソ連の満州侵攻に関し、日本のインテリジェンスは機能していたのか。

岡部伸氏によると「英国立公文書館に残されている最高機密文書『ウルトラ』を調べると、

三月二十二日付で大島大使がベルリンから外務省に宛てて『ヤルタでスターリンが対日参戦を約束した』との電報を打ったという機密文書がありました」（岡部伸『至誠の日本インテリジェンス』ワニブックス、二〇二二年より）

大島大使もスターリンの対日参戦情報を掴み本国に伝えていたことが分かっている。（この時の外相は重光葵）

問題は、ソ連侵攻の時期であった。実は、当時スウェーデンの駐在武官であった小野寺信少将は、参戦時期に関する重要情報を入手していたのである。これは「世紀のスクープ」といえるものであった。

この小野寺信とは何者であるか。少し説明を加えておきたい。

時は遡って、日米開戦約一年前の一九四一年一月、小野寺信（当時大佐）がスウェーデン公使館附武官としてストックホルムに赴任する。彼こそは、第二次大戦中における日本最高のインテリジェンス・オフィサーの一人であった。

小野寺は、ラトビア公使館附武官としてリガに赴任した時に、ポーランドやエストニアの情報将校たちと親交を深め、中立国スウェーデンに亡命していた人たちから質の高い情報を得ていた。彼の周りには、この二国のほかにも、ハンガリー、フィンランド、ドイツなど多くのインテリジェンス・オフィサーがいた。

中でもナチ秘密国家警察ゲシュタポ長官ヒムラーが「世界でもっとも危険なスパイ」と呼んだ、ポーランドの情報将校ペーター・イワノフ（本名ミハール・リビコフスキー）との親密な関係が有名である。小野寺とイワノフはドイツ、ソ連の情報を交換し合っていた。そして、ゲシュタポに命を狙われるイワノフを小野寺が全力で擁護した。戦後のインタビューで、彼は、「小野寺がいなければ私はドイツ人に殺されていた。命の恩人だ」と語っている。

ポーランドの情報将校が何故日本に対して協力的であったのか。

それは日露戦争まで遡らねばならない。ポーランドは、歴史的にロシアの圧制に苦しめられてきた。そのロシアを相手に勝利した日本を敬愛していた。そしてロシア革命を背後で支援して帝政ロシアを内部崩壊させた明石元二郎とポーランド独立の英雄であるピウスツキ将軍が友好関係を築いていたことも大きい。また、日露戦争でロシア兵として無理やり従軍させられたポーランド兵捕虜を手厚く扱ったことも日本に対する心証を良くしていた。日本が日露戦争でロシアを破った時に、ポーランド人捕虜が歓喜に沸いたという話まである。

小野寺の他に付け加えておきたいのが、リトアニアのカナウス領事館に勤務していた杉原千畝である。

彼は、一九四〇年七月にソ連に併合されたばかりのリトアニアからポーランド系ユダヤ人難民に「命のビザ」を発給し、「ナチスの手からユダヤ人を守った外交官」「東洋のシンドラー」として後世に語り継がれている人物である。ポーランドから多数の避難民が隣国リトアニアに逃れ、その多くがユダヤ人だったのである。

ナチスから逃れ英国に亡命していたポーランド亡命政府から見れば、杉原は祖国に対する恩人でもあった。

一方、ポーランド亡命政府は、反ナチスでソ連とは表向き友好関係にあったが、先述したように「カティンの森」事件が起こり関係は悪化していた。

連合国側である亡命ポーランド政府参謀本部がヤルタの密約情報を掴み、瀕死の日本をソ連から救うため、極秘情報を流したのだ。

スウェーデンの小野寺のもとに届けられた情報は、当時ストックホルム駐在ポーランド武官、フェリックス・ブルジェスクウィンスキーから二月中旬に届けられている。

「ソ連はドイツ降伏後三カ月を準備期間として対日参戦するという密約ができた」

この情報の質が極めて高い点は、ドイツ敗戦の三カ月後という期限が付加されていた点である。従って、ドイツの降伏が五月八日であるから、日本はソ連の侵攻を八月上旬に置いて準備する必要があったのである。

（因みに、この情報には、南樺太返還や千島列島引き渡しなどの情報は含まれていない）

小野寺の情報は、暗号電報で大本営参謀本部次長（秦彦三郎中将）宛に打電される。

しかし、この重要情報は、驚くことに陸軍参謀本部の中で握りつぶされていた。鈴木内閣発足（四月七日）以降、ソ連参戦情報はスイスやポルトガルなどからも入手していたが同じく無視され、外交を輔弼《ほひつ》する東郷外相、そして天皇にも伝わっていなかったと考えられる。

陸軍は、この頃には本土決戦を視野に入れていた。従って、兵士の士気にかかわる情報は余計な情報であった。

日本は、ソ連の参戦に対する準備ではなく、外交によるソ連参戦防止、更にはソ連を仲介とした和平交渉に傾いていた。この点からも小野寺情報は、無用なものでしかなかった。作戦の情報に対する優位は最後まで日本軍の宿痾になっていたのである。

鈴木内閣の誕生

小磯内閣総辞職の後、天皇は一人の老提督に日本の命運を託す。

元海軍軍令部長であり、元侍従長でもあった鈴木貫太郎である。鈴木は一九二九年に天皇の希望で侍従長に就任していた。（天皇が二十八歳、鈴木は六十一歳）親子ほどの年の差であるが、この時鈴木は天皇と深い信頼関係を結ぶことになる。そして、鈴木は二・二六事件を起こした青年将校たちからは「君側の奸」と見なされ瀕死の重傷をおったが奇跡的に助かっている。同じく二・二六事件で九死に一生を得た岡田が東條内閣潰しに奔走していたことを考えると歴史の妙な因縁を感じてしまう。この時、天皇は、反乱を起こした青年将校達に対し「私が信頼する老臣たちを倒すのは、真綿で私の首を締めるようなものだ」と激しい怒りをぶつけている。その老臣たちの中にあったのがこの鈴木と岡田であった。

天皇直々の希望に対し、鈴木は、高齢（この時七十七歳）であること、更には「軍人は政治に関与せざるべし」という信念を理由に総理を拝辞する。

鈴木に天皇はいわれた。

「もう人がいない。総理を引き受けてくれないか」

しかし、鈴木は再び拝辞する。

「私は目もかすみ、耳も遠く近くで話していることも聞こえません。そんな状態で総理の大役は果たせません」

それでも天皇は、再び鈴木に語りかけた。

「老齢でも構わない。目がかすんでもよい、耳が遠くてもよいから引き受けてほしい」

天皇にそこまでいわれれば、鈴木が断る理由などなかった。

そして、要の陸軍大臣には、「至誠の人」阿南惟幾が就任する。


阿南惟幾は、一八八七年に東京に生まれる。（父阿南尚は大分県出身）広島陸軍地方幼年学校から陸軍士官学校（十八期）を卒業している。同期には「マレーの虎」と呼ばれた山下奉文（高知県出身）がいた。因みに、十五期には終戦時参謀総長であった梅津美治郎（大分県出身）、十六期は小畑敏四郎（高知県出身）と永田鉄山（長野県出身）という皇道派と統制派のリーダーを輩出している。そして十七期には東條英機（東京府出身）がいた。東條は阿南からすれば一期先輩にあたる。

阿南は陸軍大学校の受験に三度失敗して四度目に合格しているように決して受験秀才ではなかった。転機となったのは一九二九年に侍従武官となり、当時侍従長であった鈴木貫太郎と一緒に昭和天皇に仕えたことであった。阿南は鈴木の人格に尊敬の念を抱き、昭和天皇とも深い信頼関係を築いていた。これが今回陸相就任の伏線になっていた。阿南は鈴木と同様に「軍人は政治にかかわらず」をモットーとしており、政治的に無色であったため、陸軍内の派閥抗争とは距離をおいていた。そのかいあってか二・二六事件後、兵務局長に就任し、一九三七年に陸軍省人事局長に任ぜられたころから、「陸軍に阿南あり」と人望を集めていた。その後、第一〇九師団長となり大陸に渡り、実戦を経験している。阿南は、捕虜に対しても寛大に扱い、戦死した部下の慰霊祭でも敵軍戦死者の供養塔も立てることを忘れなかった。一九三九年には、陸軍次官に就任する。一九四〇年に東條英機が陸軍大臣に就任すると、東條とはソリが合わず次第に対立していくことになる。決定的となったのは石原莞爾の人事であった。東條は、気に食わぬ石原を予備役にしようとするが、これに阿南が噛みつき食って掛かっていた。「石原将軍を予備役にすることは陸軍の損失です」と真っ向から反論している。東條と反目した阿南は中央から追われ、日米開戦の八カ月前の一九四一年四月に第十一軍司令官、そして日米開戦後の翌年七月には第二方面軍司令官に着任している。

戦局が思わしくなくなった一九四三年五月に大将に昇進し、十月には南方作戦を指揮するようになる。そして、一九四四年十二月には航空総監兼航空本部長に異動し、陸軍の特攻隊を指揮することになる。阿南は特攻作戦には批判的であったが、大本営の方針が天号作戦として主戦術を特攻としたため指揮せざるを得なかった。阿南は「最後は自分も特攻隊として敵に突入する覚悟だ」と事あるごとに語っていた。

情の人である阿南は終戦の自決の時まで悠揚迫らずいつも微笑をたたえていたという。決して部下を大声で叱責したり非難したりすることもなく、また良き家庭人であった。

品性高潔、部下の信望も頗る厚く、皇室からも信頼の高かった阿南の陸相待望論は日増しに高まっていた。陸軍の天才石原莞爾は、小磯内閣の時代から、「陸軍大臣には阿南が相応しい」と語っていたという。

阿南は持論である「軍人は政治にかかわらず」を盾に陸相就任を否定していたが、敬愛する鈴木からの直接の要請については、鈴木の下ならばと快諾していた。「次の陸相は阿南」との話が陸軍内に伝わった時に、若い幕僚たちからは、「阿南大将のもとで本土決戦が出来る」と歓声が上がったと言われている。


そして海相には米内光政がつくことになる。

「海軍に米内あり」海軍内での人望は申し分ないが、阿南とはソリが合わなかったと伝えられている。そして、この二人は後に事あるごとにぶつかることになる。阿南は自刀の直前に「米内を切れ」と語ったとされるが、真意は不明である。


外相にはノモンハン事件、日米開戦の時に外相を務め、日米開戦阻止に最後まで奮闘していた東郷茂徳がつく。鈴木より外相の要請があったとき東郷は固辞したが、終戦工作を進めていた前首相の岡田啓介、そして内大臣秘書官長で友人である松平康昌が説得にあたり、天皇も終戦を考慮し始めていることを聞かされる。そして内大臣木戸から直接電話で、東郷外相が天皇の意向であることを仄めかされ、それならばと重い腰を上げていた。

「終戦内閣」といわれた鈴木内閣が発足したのは四月七日のことであった。


この時、日本は四つの方向から危機が迫っていた。簡単に整理しておこう。

一つは米国陸軍（南西太平洋戦域最高司令官マッカーサー）と、米国海軍（太平洋戦域最高司令官ニミッツ）である。実は、ミッドウェー海戦勝利以降、アメリカ海軍がマリアナ諸島から硫黄島そして沖縄と直進し日本本土と南方資源帯を分断させる作戦を主張したのに対し、陸軍はフィリピンから台湾を経て日本本土に攻め入るべきだと主張し対立していた。両者譲らないまま、最後はルーズベルト大統領の裁定により両軍が主張するルートを平行して進撃する妥協案を示した。陸軍と海軍が不仲なのは、日本に限った話ではないようである。以降、両軍は競争するように日本を目指した。そして、三月二十六日には連合軍による沖縄戦が始まっていた。一方、フィリピンでは、制海権・制空権そして補給も奪われた日本軍がマッカーサー指揮する連合軍によって壊滅的な打撃を受けていた。沖縄・フィリピン共に現地の住民を巻き込んだ悲惨な戦いになっていた。

二つ目はB29による戦略爆撃である。先述したように三月十日には、東京に対し無差別絨毯爆撃を皮切りに日本全土の主要都市に拡大していた。そして三つ目には満州国境に増強されるソ連軍の不気味な存在があった。最後に、ほぼ完成の目途が立っていた原子爆弾があった。日本の科学者達の予測では、米国の原子爆弾は戦争中に開発が完了することはないだろうと考えていたため、日本にとっては目に見えない危機であった。

鈴木は、もともと対米戦には反対の立場を取っていた。そして齢七十七の高齢である。貧乏くじを引いたといえばそれまでだが、この戦争は自分が終わらせなければならないと決意していた。

老子を好んだといわれる鈴木は、「下手に和平を口にすれば本土決戦を計画していた陸軍の継戦派に殺されることは必至である。けして慌てては駄目である」との思いを強く持っていた。日本の欠陥だらけの統治機構のもとで、陸軍を抑えるにはタイミングが全てであると踏んでいた。

秘書には自分の長男を付けている。そして内閣書記官長には和平派であり、東條内閣倒壊の首謀者の一人であった岡田の娘婿の迫水久常で固めていた。当然、海軍出身の鈴木を終戦内閣とみて警戒したのは陸軍であった。

早速、陸軍は鈴木に阿南陸相就任の条件として、以下の二点を突き付けていた。①あくまでも大東亜戦争を完遂すること、②本土決戦施策の実行、鈴木はこれを受け入れた。老練な鈴木は、ここで面子に拘り、陸軍とぶつかるような下手な真似をする人物ではなかった。

しかしあらためて思うことは、陸軍が大臣を出さなければ内閣は成立しないという事態とは一体何だったのか。これだけ無茶苦茶な統治制度もないであろう。そして、更に拍車を掛けていたのが軍部大臣現役武官制（陸軍大臣や海軍大臣は現役の軍人以外はなれないという仕組み）という悪法の存在であった。これにより、陸軍はいつでも内閣を潰すことが出来た。日本はこの制度のために亡国の道を歩むことになったと言っても過言ではない。

日本は仕組みそのものを修正するという抜本的な改革をしないで、元老制度（政治家として功績のあったものが、首相選定や重要政策について天皇の諮問を受けること）で辛うじて平衡感覚を保っていたが、その元老がいなくなったことで、制度的欠陥が露呈したのである。

最後の元老は、西園寺公望である。彼は日独伊三国同盟の締結を嘆き、側近に「これで日本は滅びるだろう。これでお前たちは畳の上で死ねないことになったよ。その覚悟を今からしておけよ」と述べた後、三カ月後に亡くなっている。

鈴木首相就任から十日もたたない内に、ルーズベルト大統領死去のニュースが入る。

鈴木の最初の対外的な仕事は、ルーズベルト逝去に対するメッセージを送ることであった。

鈴木は、「アメリカ側が今日、優勢であることについては、ルーズベルト大統領の指導力が非常に有効であって、それが原因であることを認めなければならない。であるから私は、ルーズベルト大統領の逝去がアメリカ国民にとって、非常なる損失であることがよく理解できる。ここに私の深甚なる弔意をアメリカ国民に表明する次第である」と弔電している。これはヒトラーがルーズベルトを汚く罵った声明と対照的であり、米国民を驚かせ、そして米国に亡命中のドイツの文豪トーマス・マンは、「東洋の国・日本には、今なお騎士道が存在し、人間の品性に対する感覚が存する。今なお死に対する畏敬の念と、偉大なる者に対する畏敬の念が存する。これが日独両国の大きな違いである」とコメントしている。

しかし、残念ながら、この鈴木に対して不満を抱いた青年将校が「敵に弔意を表すなどもってのほか」と鈴木のもとに詰め寄る事態が発生していた。鈴木は穏やかに「敵を愛することが日本精神である」と諭していた。

トルーマン大統領の誕生

一九四五年二月にヤルタから帰国したルーズベルト大統領の体調はすこぶる悪く、もはや職責に耐えられる状況ではなかったとの多くの証言がある。彼の最大の関心は、戦後の平和維持機構の創設であった。ウィルソン大統領が第一次大戦後果たせなかった野望を実現し、歴史に名を刻みたい。このことがルーズベルトの最後の気力を支えていた。

三月二十九日、彼はワシントンからウォームスプリングスの別荘に静養に出ていた。大統領専用車でウォームスプリングス駅に現れた大統領を人々は歓迎したが、その衰えた姿に多くの関係者が驚きを隠せなかった。ウォームスプリングスでは、一時的に小康を取り戻し、肖像画の制作に取り掛かっていたが、突然、ルーズベルトは脳溢血で倒れ、蘇生の努力空しく死去してしまう。側近からすれば「来るべき時が来た」という感じであったが、国民から見れば急死であった。ルーズベルトは結局、ドイツや日本の降伏をこの目で見ることなく死去したのだ。

戦後を決めたヤルタ会談から約二カ月後の四月十二日のことであった。時間は止まってはくれない、副大統領のハリー・S・トルーマンは直ぐに大統領のもとに向かっていた。

一九四五年四月十二日の午後五時二十五分、ルーズベルトの妻であるエレノアは、トルーマンを自分の書斎に呼び寄せ、「大統領が、本日午後三時三十五分に亡くなりました」そして、「ハリー、わたしたちに何かできることはありますか。あなたは今や大変な立場にたたされたのですよ」と語りかけていた。

トルーマンにとっては青天の霹靂であった。ほとんど引き継ぎなしで、新しい大統領になったのである。

彼は記者団の前で、「月と星とすべての惑星が頭の上に落ちてきたという感じだった」とコメントしていた。

その約二週間後の二十八日には、イタリアのムッソリーニが公開処刑される。そして、三十日にはヒットラーが自殺し、ベルリンはソ連の手に落ちていた。

歴史を動かしてきた大物たちが次々と舞台から降りていた。チャーチルも選挙で敗れ、七月に政権をアトリーに譲っている。

トルーマンは、一九四五年一月のルーズベルトの大統領四選に伴い副大統領になって三カ月しかたっていなかった。副大統領の最有力候補であったヘンリー・ウォレスが保守派の反対にあい落選したことで、所謂「棚ぼた」で副大統領になった人物である。驚くことにトルーマンは副大統領になって以来、ルーズベルトと二度しか会ったことがなかった。そして、誰も彼にヤルタ密約や原爆開発のことを伝えていなかった。ルーズベルトが自分を脅かすことがない当たり障りのない副大統領を選んできたことが仇になっていた。

トルーマンは、第二次大戦の終盤局面でアメリカ大統領という戦後世界の行く末に絶大な影響力をもつ立場に準備もないまま立たされることになったのである。

トルーマンは、一八八四年、ミズーリ州で開拓農民の息子として生まれる。ルーズベルト大統領のような生粋のエスタブリッシュメントではない。若い頃は、銀行事務員であったことが有名であるが、郵便物仕分け、鉄道のタイムキーパー、道路監督、郵便局長といった職を転々としている。彼が頭角を現したのは三十代後半判事となり、トム・ペンダガストの支援を受けてからである。ペンダガストはいわゆる政界の顔利きであり、彼の力によって一九三四年、五十一歳で上院議員になっている。エリート教育を受けておらず、頼るべき人脈も乏しく、外交の経験など無いに等しい男が大統領になってしまったのである。四選したルーズベルトがまさか三カ月もたたない内に死去するとは考えていなかったのである。

残されたトルーマンには、戦後処理の問題と、降伏していない日本との戦いをどのように決着させるか、問題は山積していた。彼は、頼るべき人物が必要だった。日本にとって不幸であったのは、その相手がバーンズであったことだ。先述したように彼こそが日本への原爆投下に最も積極的な男であった。彼はステティニアスの後を継いで、七月三日に国務長官となる。そして、原爆責任者のグローブスと共に有無を言わさず日本への原爆投下に邁進していった。

いったいバーンズとは何者なのか。一八八二年生まれの彼は、貧しい母子家庭で育っている。そして、エリートがうごめくワシントンでは珍しく高校を中退、独学で法律を学び、サウスカロライナ州の法廷弁護士になる。その後、政界に進出するや、二十九歳の若さで下院に当選し、政治家として頭角を現す。そして、ルーズベルト大統領の下で戦時動員局長に抜擢され実力を認められた所謂「叩き上げ」であった。

ルーズベルトの死後、トルーマンはステティニアスの後の国務長官の地位を、当時国務次官であった元駐日大使で知日派のジョセフ・グルーではなく、このバーンズを指名していた。順当に行けばグルーが国務大臣になった可能性もあったが、トルーマンが拒否した。ソ連に対するレンドリース法をグルーの助言を入れて停止したことでソ連との関係が一時期極度に悪化したことが、グルーへの心証を著しく悪化させていた為である。またバーンズとは心情的に「叩き上げ」の境遇が似ている分、馬が合ったのかもしれない。更にルーズベルトと親密だったバーンズはヤルタ会談にも参加していた。引き継ぎがほとんどなかったトルーマンにとって、ルーズベルトをよく知るバーンズは格好の相談相手として期待出来たのである。

このバーンズがトルーマンを支えたキーマンであり、文民における原爆使用の最強硬派であった。彼が原爆開発の責任者であるグローブスにプレッシャーを掛け、そのグローブスが科学者の代表であるオッペンハイマーを煽っていたのである。

一方、グローブスのボスに当たる陸軍長官のスティムソンは、齢七十八の老練な男であった。

由緒ある一族の出身で、イエール大学、ハーバード大学の法律大学院を卒業後、ウォールストリートの法律事務所のパートナーとなり、その後政治の世界で頭角を現すようになる。

大戦前の一時期には、「暗号解読は紳士のすることではない」と激しく非難するほど謹厳実直な面を持っていた。彼は、原爆の責任者として開発を推進し巨額の費用を使った以上、使用せざるを得ないと考えていたが、一方で事前の警告なしに市民の上に原爆を落とすことには内心懐疑的だったのではないかと思われる。（何らかの事前警告は最低限必要と考えていて、それが後述するポツダム宣言に繫がったと考えられる）

トルーマンが大統領になってまだ二週間もたっていない四月二十五日の正午、大統領執務室では、トルーマンとスティムソンに対し、グローブスが原爆計画についての説明を行っていた。二十四ページにわたるレポートをグローブスは持参してきたが、トルーマンは「私にこれを読めというのか。私は報告書を読むのは嫌いだ」と中身を真剣に確認しようとはしなかった。

グローブスはトルーマンに、「日本に原爆を投下し、早期降伏を実現する必要がある」と力説していた。そして、畳みかけるように、「この計画には、議会の承認がないまま、約二十億ドルが投入されている。しかも一握りの人間しかしらない極秘事項である」と驚くべきことを付け加えていた。

この時にトルーマンは具体的な指示をグローブスに与えてはいない。先述した暫定委員会にバーンズを大統領特別代理に入れるように指示を出したくらいである。つまり計画の継続を黙認したのである。

そして、グローブスはこの後、科学者や軍人らと、何時どこに原爆を投下するべきか具体的な議論を開始していた。四月二十七日には、第一回の「標的委員会」が開催されている。軍人からはグローブス少将を筆頭に佐官クラス含め六名、そして科学者からは、オッペンハイマー所長、ノイマン他十一名が参加し、総勢十七名で構成されていた。（バーンズ国務長官やスティムソン陸軍長官は参加していない）

いつ落とすかについては、準備状況、天候条件を勘案して八月で進めることになった。

投下対象となる都市については、まだ空襲を受けていない、直径3マイル（約五キロ）以上の広さがある都市が選定の基準となっていた。リストには、東京湾、川崎市、横浜市、名古屋市、京都市、大阪市、神戸市、広島市、呉市、下関市、山口市、八幡市、小倉市、福岡市、熊本市、長崎市、佐世保市の十七都市が挙げられている。

そして五月十日には、有力候補順に以下の五都市に絞られていた。

京都（大きな空襲を受けておらず、盆地である）

広島（同じく大きな空襲を受けておらず、周囲を山で囲まれており、破壊力を増幅できる）

続いて横浜、小倉、新潟、が候補に挙がっていた。

五月二十八日には、通常空襲に切りかえた横浜が外され、候補地は京都、広島、小倉、新潟の四都市となった。そしてこれ以降、この四都市への空襲は禁止されている。原爆を投下した時の効果が正確に測定できなくなるからである。

京都を強く推したのは責任者のグローブスであった。空襲の被害を受けておらず、原爆の破壊効果が検証しやすいことが理由であった。もう一人、京都への投下を強く推す人物がいた。「悪魔の頭脳」といわれたノイマンである。

「略……ノイマンが強く主張したのは、京都への原爆投下だった。ノイマンは、日本人の戦争意欲を完全に喪失させることを最優先の目標として、『歴史的文化的価値が高いからこそ京都へ投下すべきだ』と主張した」（高橋昌一郎『フォン・ノイマンの哲学　人間のフリをした悪魔』講談社現代新書、二〇二一年より）

更に、高橋氏はノイマンについて、以下にコメントしている。

「ロスアラモスでは、『非人道兵器』を開発する『罪悪感』に苛《さいな》まれていた若い物理学者リチャード・ファインマンに対して、『我々が今生きている世界に責任を持つ必要はない』と断言して、彼を苦悩から解き放った。要するに、ノイマンの思想の根底にあるのは、科学で可能なことは徹底的に突き詰めるべきだという『科学優先主義』、目的のためならどんな非人道的兵器でも許されるという『非人道主義』、そして、この世界には普遍的な責任や道徳など存在しないという一種の『虚無主義』である」

一方、「京都は外すべきだ」と強硬に反対したのは、陸軍長官のスティムソンである。五月三十日、スティムソンはグローブスに自身の執務室にすぐ来るよう命令する。「投下目標の候補はどうなった」スティムソンは鋭く問いかけた。グローブスは、候補都市リストが書いてある書類をスティムソンに見せた。スティムソンは、京都が一番目に書かれている部分を発見し、言下に「京都は絶対に承認しない」「日本の古都である京都に原爆を落とせば、戦後日本との和解は不可能になる」きっぱりとグローブスに言い切った。そして、スティムソンは統帥のトップであるマーシャル参謀総長を呼び、「京都には使いたくない」と念を押している。

そして、翌日の三十一日に、先述（「原子爆弾の開発」の章）したように暫定委員会で日本に対する原爆投下は正式に決定する。

しかし、投下目標については、グローブスも諦めてはいない。六回以上スティムソンのところに通い「京都を第一目標にする」ことを繰り返し主張していた。

ドイツ降伏する

ドイツは、一九三三年にヒトラーが政権を奪取して以来、ラインラントへの進駐（一九三六年）を皮切りに、オーストリア併合（一九三八年）、チェコ進駐（一九三九年）といった版図拡大を戦争によるものではなく外交で実現させていった。当時、列強指導者の多くは「ヒトラーはベルサイユ条約の歪みを修正しているだけで、決して戦争を望んでいない」とヒトラーの本質を見抜くことが出来なかった。その後、一九三九年にヒトラーは独ソ不可侵条約を締結し、その秘密議定書に基づきポーランドに侵攻する。そして東の脅威を除いたドイツは返す刀でフランスそしてベネルクス三国を電撃戦で蹂躙し、一九四〇年には、英国を除く欧州の大半をその版図にすることに成功していた。しかしバトル・オブ・ブリテン（英国との戦い）で行き詰まり、英国に和平を呼び掛けるがチャーチルに拒否されると、一九四一年六月二十二日に不可侵条約を締結していたソ連との戦争を開始する。国力に勝るソ連に勝利するために奇襲による短期決戦（バルバロッサ作戦）を目論み破竹の勢いでモスクワ近郊に迫るが、同年十二月にはソ連軍の猛反撃によって押し戻されバルバロッサ作戦は失敗に終わる。その後、戦いは膠着状態に陥り、長期戦の様相を呈していく。そして一九四二年六月、独ソ戦最大の分水嶺といわれるスターリングラード攻防戦が始まる。史上最大の市外戦といわれ、枢軸側（ドイツ、イタリア、ハンガリー、ルーマニア、クロアチア）とソ連の死傷者数の総計は約二百万に達する史上稀にみる凄惨な戦いであった。スターリングラードは、ソ連有数の工業都市であり、ソ連の主力戦車T34の主要生産拠点であった。またソ連にとって陸海路の要衝であり、都市の名称は最高指導者スターリンの名前を冠していた。従って、この戦いはソ連にとって絶対に負けることが出来なかったのである。緒戦はドイツの快進撃によって都市の大半をドイツ軍に征圧される。ドイツ軍の勢いは凄まじく、この時に米国務省は、スターリンが勝手にドイツと講和をするのではと訝ったほどであった。しかし、ソ連はドイツ軍の猛攻に耐え、驚異的な粘りによって劣勢を挽回し、冬の段階にはドイツ軍を包囲していた。兵站が崩壊したドイツ軍は次第に追い詰められ、冬将軍（寒気と積雪）の到来とともに力尽き、翌年一九四三年一月三十一日、独軍パウルス元帥の降伏によってスターリングラード攻防戦は終結する。

ドイツは総兵力の四分の一が失われ、ヒトラーは「戦争の神はあちらに寝返ったか」と慨嘆したと言われる。

スターリングラード攻防戦後の戦力差は、歩兵力でソ連が倍、戦車に至っては四倍に広がり、以降、ドイツ軍が戦争の主導権を握ることは不可能になっていた。

因みに日本もガダルカナル戦の敗北による撤収作戦が行われたのが二月一日から七日であり、奇しくも同じ時期に戦況の悪化を迎えていたのである。

その後、ドイツが一矢を報いたのは、連合国から「最も恐るべき敵」と名指しされていた天才マンシュタイン将軍が指揮を執った第三次ハリコフ戦である。スターリングラード等の戦闘によってソ連のロジスティクスがのびきっていたことを察知したマンシュタイン率いるドイツ軍は、一気に反撃に転じ、ハリコフを一時奪還している。しかし続く七月のクルスクの戦いで、最新鋭戦車の増強まで決戦の延期を主張するヒトラーと即時戦闘を主張するマンシュタイン将軍らがぶつかり、戦機を逸したドイツ軍はこの決戦に惨敗し、二度と勝機が訪れることはなかった。以降、ドイツは退却戦を強いられ、ソ連軍によって次々に領土を奪回されてゆく。そしてマンシュタインは、一時的な戦略的撤退を認めようとしないヒトラーと決定的にぶつかり一九四四年三月南方軍集団司令官を解任され、予備役に編入されていた。（その後、反ヒトラーグループからヒトラー政権に対するクーデター計画への参加を懇願されるが、「プロイセン軍人は反逆しない」といって拒否している）

この辺りからヒトラーとドイツ参謀本部との間には大きな溝が出来ていた。退却戦でもドイツ軍の足並みは乱れ混乱を極めていた。

更に、北アフリカ戦線でも枢軸側は、奇才エルヴィン・ロンメルの活躍により戦況を有利に進めていたが、自力に勝る連合国の前に一九四三年五月に降伏し、北アフリカ戦線も消滅している。

そして同盟関係にあったイタリアは一九四三年九月八日に降伏していた。

一九四四年六月には、第二戦線がノルマンディ上陸作戦によって構築される。ドイツは東にソ連、そして西からは米英を中心とする連合軍との挟み撃ちに合うことになる。日本がサイパン島を奪取され勝機を完全に失ったのが同じ六月である。この時点で枢軸側の負けはほぼ確定していた。

このころから参謀本部を中心にヒトラーを暗殺する動きが活発化していった。

もともとドイツ参謀本部には、ヒトラーに反対するグループがあり、ナチスのゲシュタポは彼らを「黒いオーケストラ」と呼び警戒していた。

七月二十日に東プロイセンの総統大本営会議室において、シュタウフェンベルク大佐が爆弾を忍ばせた鞄をヒトラー近くの机の下に置き爆発させた。しかし鞄の置き場所があとからずらされた上、テーブルが分厚かったこともあり、ヒトラーは軽傷を負ったのみで暗殺は未遂に終わる。これによって、クーデターを企図し実行したシュタウフェンベルクらは二十一日未明に処刑されてしまう。

事件後のナチスの報復はすさまじく、逮捕者は約一五〇〇名にのぼり、約二〇〇名が死刑になっている。

そして、反ナチスに対する弾圧は終戦まで続くことになる。

マンシュタインと並び称され、ヒトラーからの寵愛を受けていたロンメル将軍は、「砂漠のキツネ」と呼ばれた天才的な軍人であった。彼は卓越した戦術家としての名声のみならず、騎士道精神から連合国側からも絶大な人気を博していたが、その最後は悲惨であった。

彼は貴族出身でない自分を引き立て、チャンスを与えてくれたヒトラーを敬愛していたが、ヒトラーが進める人種差別政策には批判的であり、直接諫言することもあったという。そして、ノルマンディ上陸作戦以降、完全に勝機を逸したドイツは連合国と講和するべきであると考えるようになる。そして、ヒトラーに直接「できるだけ早い時期に、この戦争を終わらせるべきだ」と諫言している。その後、何度も連合国との講和を進言しているが、ヒトラーはそれを許さなかった。国民からも絶大な人気を誇っていたロンメルの扱いにヒトラーは苦慮していたが、最終的にヒトラー暗殺計画の関与が疑われロンメルは自殺を強要される。「法廷で裁きを受けるか、家族の保護を条件に自決するか」を迫られ、彼は自決を選び一九四四年十月十四日に亡くなっている。事情は国民に知らされず、事故により死去したとして国防軍葬が営まれていた。

一九四四年十二月から翌年一月にかけて、ヒトラーは最後の賭けに出る。アルデンヌの森で行われたバルジ大作戦と呼ばれた会戦である。この戦いでヒトラーは圧倒的な勝利をおさめ、西側連合国との間に有利な講和を実現し、残存する全ての戦力を東部戦線に投入してソ連軍を粉砕することを目論んでいたといわれている。ドイツ軍の奇襲は成功し、不意を突かれたアメリカ軍は敗走するも、戦力不足のため直ぐに連合軍に巻き返され、一大反攻の希望も失われてしまった。この時点で実質的にドイツは完全に敗北していた。

一九四五年一月、ソ連軍はついにドイツ領内へ進撃を開始している。二月には連合国によるドレスデン大空襲が行われ、四月十六日にはソ連によるベルリン占領を目的としたベルリン作戦が発動されている。

これに対し、ヒトラーは米英との講和に動くこともなく、戦いを継続していた。何とかこの苦境を凌げば、米国とソ連がいずれ衝突すると考えていたのか、真意は不明である。戦況は好転することはなく、四月三十日、ヒトラーは自決する。そして、日本では五月二日の朝、ラジオがヒトラーの死を伝えていた。

五月七日、ヒトラーから後継者に指名されていた海軍総司令官カール・デーニッツ元帥はドイツ軍全軍の降伏を決意する。そして、ドイツ国防軍最高司令部の作戦部長であったアルフレート・ヨードル大将を代理人として派遣し、連合国軍総司令官ドワイト・D・アイゼンハワー元帥に降伏交渉を申し入れるが、交渉はにべもなく拒否され、ヨードルは降伏文書に署名するしかなかった。降伏文書は欧州時間の五月八日付に発行されている。

これに激怒したのがスターリンであった。ドイツとの戦争で矢面に立っていたのはソ連である。犠牲も一番大きい。降伏文書の署名は、ソ連とドイツの最高司令官同士でなければならない。そして降伏文書を交わす場所は、フランスではなくドイツの首都ベルリンでなければならないと主張し、再度ベルリンで五月九日（モスクワ時間）ソ連軍代表のゲオルギー・ジューコフ元帥とテッダー元帥、ドイツ国防軍のカイテル元帥の間で調印されている。

五年前には欧州を席捲していたドイツ帝国は崩壊してしまった。

もう日本は独りで戦わざるを得なくなったのである。味方はもういなくなっていた。

和平交渉始まる

繰り返しになるが、無条件降伏は、一九四三年一月のカサブランカ会談でルーズベルトがぶち上げたものであった。これによって日本は、徹底抗戦しか選択肢はないところまで追い込まれていたのである。

日本は、講和の条件が少しでも有利になるように、最後の総力戦で米国に一撃を加えることを目論んだが、マリアナ沖・サイパンで敗れ、東條内閣崩壊後の小磯内閣も、レイテ沖の海戦で乾坤一擲の戦いに打って出るが惨敗していた。そして事態は沖縄戦まで来てしまっていた。空からはB29が容赦のない爆撃を日本の都市に加えていた。そして、ドイツの降伏である。

日本はドイツが次の欧州における覇権を握ることを信じて、米国に開戦した。ドイツ頼みの戦いにおいて、そのドイツが負けることは日本の政戦略の前提が崩れたことを意味した。

更に、ドイツ降伏によって、和平のネックとなっていたドイツとの単独不講和のくびきからも解放されることになる。(「はじめに」でも述べたが、小磯内閣時の外相で、国際信義を重んじていた重光葵は、連合軍との和平のタイミングはドイツ降伏後、単独不講和が無効になってからであると主張していた)

もう誰の目にも和平に向かうしかないことは明らかであった。あとは誰がいつ言い出すかであった。

しかし、ここにきてもまだ継戦を主張する組織があった。陸軍である。陸軍は、ここまでの戦は、海軍の太平洋での戦いに引きずられたものであり、大陸ではまだ負けていない。そして、まだ日本には総勢六百万の兵力が存在することを強調していた。「本土決戦はやる。一回だけでいい。そこに持てる力すべてを注ぎ込めば絶対勝てる」最後の一戦なくして終戦はありえないというのが陸軍全体の総意であった。

そして、国内の議論は、外交交渉を如何に行うかよりも、陸軍を如何に納得させるかが主眼となってゆく。和平を実現するためには外交よりも内政がボトルネックであった。

実は、鈴木首相の前の小磯内閣時代に蔣介石との和平を進める動きがあった。繆斌《みょうひん》工作と呼ばれるものである。

重慶の蔣介石の和平交渉の使者として一九四五年三月、繆斌が来日する。繆斌はもともと蔣介石と敵対する南京政府（汪兆銘政権、日本の傀儡政権）の立法院副院長の職であったが、重慶の蔣介石と連絡を取るようになり、彼の密命により日中の単独和平交渉を行いたいと言ってきた。和平条件の骨子としては、①重慶政府は南京に遷都し、現南京政府の要人は日本政府において収容する。②日本は中国から完全撤退する。③満州問題は別途協定する。④日本は英米と和を講じる。という、一九四五年時点の日本の行き詰まった状況においては好条件と言えるものであった。

これに対し日本政府の中では、小磯首相をはじめ、緒方竹虎情報局総裁、東久邇宮稔彦王、らはこれを強く推進し和平実現に向かって動くが、重光葵外相が「謀略である」として反対する。そして、木戸内大臣、杉山陸相、米内海相も反対の立場を取るようになる。小磯は和平の切り札となると天皇に上奏するが、工作中止を言い渡される。「蔣介石に対する工作は、南京政府に一任しており、汪兆銘を寝返った繆斌なるものを信用するわけにはいかない」、これが天皇の答えであった。

天皇に引導を渡されたことが、小磯が内閣を総辞職する直接の原因になっていた。

もし繆斌工作が真実で、この時に繆斌が蔣介石の親書なり、説得力のあるエビデンスを持参していたら事態は違った方向に進んだかもしれない。

繆斌工作は終戦における和平工作最大の謎の一つであり、本当に蔣介石の使者だったとの実証研究もある。いまだに論争は絶えていない。

（繆斌工作については、太田茂『日中和平工作秘史』芙蓉書房出版、二〇二二年に詳しい。工作について多面的な分析を加えており、日中和平に関する名著である）

いずれにせよ、小磯内閣時代に中国との直接和平の可能性はほとんど潰えたのである。

そもそも日本が第二次大戦に突入してしまった原因となっていたのは日中戦争である。その中国と直接和平出来れば、米英との和平の道はもっと早く訪れたかもしれなかった。

実は蔣介石は、連合国の中では浮いた存在になっていた。蔣介石とすれば、中国が百万以上の日本の軍隊を大陸に引き付けていたからこそ、米国は太平洋で有利な戦いを進めることが出来たのである。それにもかかわらず米国の支援は英国やソ連に偏り、中国にとっては満足出来るものではなかった。また、ルーズベルトは中国の苦境に対して一定の理解をしめしていたが、チャーチルは中国を見下し、利害を対立させていた。

チャーチルは中国に香港を返還するつもりはなかったし、アジアの植民地を解放する気などさらさらなかったのである。

ルーズベルトは、蔣介石を連合国側に引き付けておくために、一九四三年十一月にカイロでチャーチル、蔣介石の三巨頭で会談を行っている。そして、蔣介石に、満州・台湾・澎湖諸島の中華民国への返還、朝鮮の自由と独立などを確約し、カイロ宣言として発表していた。しかし、蔣介石としては、カイロ宣言は偉大な外交的成果であったにもかかわらず、彼はスターリンやチャーチルを信用してはなかった。事実、この後もスターリンとチャーチルは悉く蔣介石を袖にしている。特に、カイロ会談の直後に行われたテヘラン会談（ルーズベルト、チャーチル、スターリンの三巨頭会談）には、蔣介石は呼ばれていない。ルーズベルトは加えた方が良いと提案したが、スターリンが猛反発していた。「蔣介石は我々三国とは同格でない」が理由であった。

そして、カイロ会談での合意事項の一部、ビルマへの反攻作戦などは白紙に戻されている。蔣介石はカイロ会談以降、テヘラン会談だけでなく、ヤルタ会談にも呼ばれていない。更には、先述したようにヤルタ会談では、蔣介石抜きでルーズベルトとスターリンによって戦後の満州における権益問題が論議されていた。この当時のアジアの地位はこの程度のものであったのだ。

蔣介石の本心は、アジア人同士の泥沼の戦いではなく、日本の中の「話の分かるものたち」との和平の実現ではなかったのか。日中和平は、様々な妨害、陰謀があったとしても日本側が譲歩して、早期に実現する必要があったのである。


話を戻す。

中国との直接の和平が潰えると、のこりは米英に対する直接の和平交渉か、中立条約を締結していたソ連、そしてスウェーデン・スイスといった中立国、更にはバチカン（ローマ法王庁）に和平の斡旋を頼む方法が残されることになる。

現在、交戦中である米英となると陸軍が納得しない。ソ連ならば陸軍も目をつぶってくれるはずだ。ソ連に対する和平仲介の斡旋をお願いする動きは、対外的というよりも内政的な制約により決定してゆくのである。

日本としては、ソ連に対しては事を構えないこと、つまり対ソ静謐の保持が外交方針であった。政府は佐藤尚武駐ソ大使に対し、あと一年で期限が切れる中立条約の延長を交渉するように要請していた。

二月二十一日、佐藤はモロトフと会見し、中立条約の延期を希望したが、モロトフからは色よい返答はなかった。この時すでにソ連側は延長しないことは決めていたが、時間稼ぎのために明確な回答を避けていたのである。

そして、四月五日にはソ連が日ソ中立条約の不延長を正式に通告してきた。

これに対し、佐藤は、中立条約の第三条に基づき、破棄声明があったとしても中立条約の有効期限はあと一年あることをモロトフに指摘し、モロトフから「その通りである」との言質を取っていた。しかし、ソ連にとっては条約よりも国益が上位にあることは後に明らかになる。外交とは、表面的な「話し合い」とは本質的に異質のものであることを理解しなければならない。

この段になっても日本はソ連を和平の仲介役として諦めてはいなかった。

(日ソ中立条約発効は一九四一年四月二十五日、有効期限は五年、従って継続しなくても一九四六年四月二十五日までは有効であった)

日本政府の中で、本気でソ連の仲介役を模索していたのが、海軍大臣の米内光政と、首相の鈴木貫太郎であった。二人とも海軍出身である。特に米内は三十代の壮年期にロシアに駐在している。近衛内閣で海相を担当した時、日中戦争拡大派に与し、閣議で強硬な意見を吐いていたのが米内本人である。親ソ派であった米内は、中国からの撤退によって満州に兵が移動し、ソ連との緊張関係が高まるのを回避したかったことが背景にあったのか真意のほどは確かではないが、そう思えてしまうほどソ連に傾斜していた。

ソ連寄りの発言をしていたのは政府関係者だけではない。陸軍の中で冷静な合理主義者で天皇から信頼も厚かったといわれる梅津参謀総長も同じであった。

二月九日、梅津が天皇に奏上した時の報告では以下にソ連への期待を吐露していた。

「アメリカは、日本の国体を破壊し、日本を焦土にするまで戦いを止めぬだろう。従って、絶対にアメリカとの講和は考えられない。対してソ連は日本に好意を有しているから、ソ連の後援の下に対米戦を継続しなければならぬ」、梅津のソ連への期待は、その後の中立条約延期拒否、ソ連軍の満州国境への移動によって変容してゆくが、縋る相手はソ連でしかないという思いは変わることはなかった。

そして、ドイツ敗戦後の五月十一日、十二日、十四日の三日間に行われた最高戦争指導会議（首相、外相、陸相、海相、陸軍参謀総長、海軍軍令部総長の六名からなり、構成員会議ともいわれている）では白熱した論議が行われていた。最高戦争指導会議とは、あえて側近（次長、次官）を外したトップのみで腹を割った話し合いが出来るようにしたものであった。

梅津参謀総長「極東のソ連軍の増強に対しては、積極的な外交交渉によって対日参戦を回避する必要がある」

米内海軍大臣「海軍としては単なるソ連軍の参戦防止だけでなく、ソ連から軍事物資、出来れば石油を購入できればと思う」

東郷外相「ソ連がどんな国か知らないにもほどがある。ソ連を軍事的、経済的に利用する余地などない」「ソ連を誘致するのであればヤルタ会談の前でなければ駄目であった。もう手遅れで、甘い期待は禁物である。終戦そのものをどうするかを至急考えねばならない」

普通に考えれば、ソ連が日本に軍事支援をするということは、ソ連が日本と組んで米英と戦うことを意味する。ソ連は完全に連合国側である。スターリンがそんなことを許すわけがない。冷静なはずの米内も土壇場に追い込まれると、ここまで愚昧になってしまうのか。米内は、先述したように海軍内では有名なロシア通である。ロシア語も堪能であった。ロシアをよく知る米内がロシアに対する見通しをここまで誤るとは、溺れる者は藁をもつかむ心境だったのであろう。

梅津は、更に「ソ連が勝利できたのは、日本が四年間中立を守ったからである。そのことにソ連は恩義を感じているはずだ。ある程度の好意は期待出来ると思う」と語っている。そして、米内もソ連の好意に期待することに賛同していた。梅津は陸軍大学首席のエリート中のエリートであり、その冷静な頭脳で統帥のトップに立った程の男である。この梅津も、初めに結論ありきで思考するしかなくなっていた。

東郷はにべもなく反論する。「恩義などソ連に通用しません。日本だって、もしドイツがモスクワ攻略に成功していれば、シベリアへ侵攻したでしょう。おたがいさまです。恩義でもなんでもない」

残念ながら、この段になっても、ソ連に対する「恩義」だの「好意」だのという幻想を語る軍指導者が日本の舵取りをしていたのである。当時の日本の国際感覚の欠如は嘆かわしい限りであった。

東郷は「米国を相手に直接終戦することを考えるべきだ」と本音を吐いていた。しかし、軍部によって却下されている。米国が無条件降伏を揚言していたことが東郷案のネックになっていたのだ。

鈴木首相「私は、この段になってソ連の友好的な態度を期待するのは間違いであるという外相の意見に賛成である。しかし何らソ連を利用しないというのは賢明ではないと思う。連合国と講和するためソ連に仲介を依頼することも検討すべきだ。スターリン首相という人は、なにか西郷南洲に似ているような気がします」

鈴木は、日本を終戦に導いた功労者であったことは紛れもないが、あの独裁者スターリンと

「敬天愛人」の西郷が重なってしまう国際感覚は頂けない。
しかし、一方で注目すべき点は、鈴木はここでソ連による仲介の話を出していたことであった。鈴木はマスコミの記者団の前では、一億玉砕のような勇ましい話をしていたが、会議の席では少しずつ本音を出し始めていた。

会議の最後に、対ソ交渉の原則が決定した。

①ソ連の対日参戦の阻止
②ソ連の好意的中立の獲得
③終戦についての有利な仲介依頼（ソ連をして日本に有利な仲介をさせる）

これで一旦決まりかけたが、③「終戦の仲介依頼」について軍部が横やりを入れる。そして、「時期を見て」という条件が加えられた。当面は①②「ソ連の対日参戦の阻止と好意的中立の獲得」に絞った交渉を行うことで決定し、公式に和平交渉を行うことは先延ばしされたのである。

そして東郷は、「ソ連は既に日本を見限っております。そのソ連から好意を得るためには、相当の見返りを用意する必要があります。それは日露戦争でソ連から勝ち取ったもの全てを返還するだけでは恐らくは足りないでしょう」

この東郷の発言には、皆暗く頷くしかなかった。


そして会議の最終日は連合国との講和条件についてであった。

阿南陸相は吠えた。「日本はいまだに広大な領土を占領している。敵に取られたのはほんの一部に過ぎない。日本はまだ戦いに破れてはいない。敗戦を認めて和平を進めるなどの議論は出来ない」

梅津もこれに呼応して「陸相の意見に賛成です。早期和平は結構だが、みじめな条件には応じられない」

東郷は「みじめな条件には応じられぬとおっしゃるが、戦局に明るい展望があるのですか」

米内も「外務大臣にいわれるとおりだ。本土決戦に勝ち目があるのか。負ければ国体、皇室はつぶされますぞ」

「戦力に劣るとしても、必勝の信念に徹していれば死中に活を求めることも出来るのである」

阿南の強硬な意見が会議室に響き渡った。

首相以下の閣僚は、阿南が辞表を出して内閣を潰してしまうことを何よりも恐れた。

しかし、阿南は辞表を出す気などまったくなかった。この内閣は敬愛する鈴木首相で終わらせねばならない。

但し、今確実にいえることは、この段階で下手に和平を口にすれば、その発言は陸軍省や参謀本部に伝わり、陸軍は黙っていないだろう。阿南は殺されるか、クーデターに担がれるか、であった。

参謀本部は、あくまで、ソ連の参戦防止のための対ソ工作に拘っていた。これに対し、一九三九年のノモンハンの時に駐ソ大使を務めた東郷外相だけは、ソ連をはなから信じておらず、ソ連を仲介とする和平工作に強い疑念を持っていた。

実は、最高戦争指導会議の三週間ほど前の四月二十二日、参謀本部次長の河辺虎四郎中将と参謀本部第二部長の有末精三中将という作戦と情報のトップが東郷を訪ね、「ソ連を通じた対連合国、特に対米和平の促進」を熱心に説いていた。最大の眼目はソ連の参戦を如何に防止するかであった。ソ連ならば陸軍も反対しないという確証を得て東郷は不本意ながらもソ連との交渉に傾斜していたのである。

この頃には、軍部も皇室も、政界関係も「ソ連以外に米国の無条件降伏要求を再考させる力のある国はない」との認識で一致していた。そして、交渉の相手はモロトフ外相である。東郷はノモンハン事件の時の停戦交渉をモロトフと行った経験があった。その時は東郷の主張にモロトフが妥協する一面があった。モロトフとなら思い切った妥協案を日本が示せば僅かな可能性が見出せるかもしれないという期待が東郷に生まれたのかもしれない。

そして内政面で厄介な陸軍も中立条約を結び戦争状態にないソ連ならば目を瞑ろうというのである。簡単にいえば消去法でソ連が残ったのである。

しかし、結果的には、首相の鈴木と外相の東郷は、ソ連との交渉に絞るという痛恨の判断ミスを犯してしまったことになる。ソ連に絞ったことで、スウェーデン、スイスなど他のオプションを退けてしまった。弁護するとすれば、東郷としては英米との交渉をするためのプロセスとして一旦ソ連という回り道が必要だったのだ。

東郷は外務省の先輩で敬愛する元首相である広田弘毅にソ連大使（マリク）との交渉をお願いする。

六月四日、広田は、挨拶という名目で非公式にマリクを訪問する。当時、マリクは、空襲を避けるために箱根の強羅ホテルに疎開していた。

広田「中立条約は延期しないとの話であるが、あと一年間は効力がある。この間にソ連との関係を強化しておきたいと日本は、考えている」

マリク「我々は、これまで日本が行ってきた様々な反ソ活動で、日本に対して不信感をもっている。これを取り除く具体的な方法を教えてほしい」

広田「日本はソ連との友好関係を望んでいる。友好関係を維持するために何が必要か聞きたい」

マリクは日本の行動を冷静に分析していた。そしてモロトフ外相に「日本は戦争終結に向けた最後の一手を打つことを考えている」と報告している。

このころ、駐ソ日本大使の佐藤尚武は、ソ連側の冷淡な態度と国際情勢から総合判断し「日本は速やかに終戦の決意を固めるべきだ」と東京に打電していた。

佐藤は、日本政府や陸軍がもつソ連観に辟易していた。大使館員からみてソ連に対する情報収集は不可能であった。外交団もつきあってくれない。ソ連は冷淡で日本は敵国扱いだった。とても友好国と言える状況ではなかった。つまりソ連は完全に連合国側であった。ソ連は一九四二年一月一日のアルカディア会談で米国、英国、そして中華民国と一緒に連合国共同宣言に署名している。ソ連はとうの昔に日本との友好国ではなかったのである。そして中立条約も便宜的なものでしかなく、賞味期限が切れれば破棄される運命にあったのである。

その辺の空気をまったく読めていない陸軍は、一年ほど前の一九四四年七月、ドイツの敗戦がほぼ確定していた時期に、独ソ和平の斡旋を推進することを外務省に働きかけていた。陸軍は、もしドイツが米英と単独和平をしてしまうと、日本だけが取り残されてしまうことを怖れたのだ。

陸軍の身勝手な幻想を押し付けられた佐藤大使は、これには流石に呆れかえっていた。

クレムリンの外では、ここを占領した、あそこを占領した、独ソ戦での戦果に沸きかえり祝砲が響いていた。

「ヒトラーのドイツがソ連と和平するわけない。かりにヒトラーが望んでもスターリンがそれを承知するわけがない」、そんな当たり前のことを何故理解出来ないのか、理解しようとしないのか。

そして、独ソ和解交渉の次は、対日参戦防止である。佐藤は深い焦燥に駆られていた。

三月二十六日に始まった沖縄戦の大勢は五月には決していた。(組織的な戦闘は六月二十三日に終了している)

日本は、沖縄戦で大戦果をあげて、和平交渉を本格的に開始する算段であったが、目論見は崩れ去っていた。

この沖縄戦に対し陸海軍共に特攻が行われ、三千名余りに上る尊い命が失われている。そして、四月七日には、海軍の水上部隊が沖縄特攻を実施し、戦艦大和を失っている。この戦いで、なけなしの海上戦力の多くが海の藻屑と消えたのである。

この状況を受け、六月六日には、六人の主要メンバーに側近も加えた最高戦争指導会議が行われる。鈴木首相がまとめさせた「国力の現状」(内閣総合計画局作成)では、本土決戦は無理な日本の現状を示していた。東郷は、戦争継続は不可と主張したが、しかし陸軍はこの事態を受け入れず、「生産意欲と敢闘精神を高めさえすれば本土決戦も可能である」と劣勢の挽回は精神力でカバー出来るとしていた。

五月に和平交渉に向け完全ではないまでも舵を切り始めたのが大きく後退してしまった。阿南も腹の底は和平であったとしても参謀本部次長の河辺の前で弱音を吐くことは出来なかった。少しでもその態度が継戦派に伝わってしまうことを怖れたのである。

そして、六月八日の御前会議である。ここで本土決戦のための新たな戦争指導大綱が決定される。

戦争目的は、自存自衛と大東亜共栄圏の建設から国体護持と皇土防衛に変わっていた。

本土決戦が決まったあと、天皇は木戸を呼び「こんなものが決まってしまったよ」と言っている。天皇が本心から納得していないことは、ありありと見えた。

翌九日に、本土決戦へ国民の総意を集結させるため、臨時国会が開会される。鈴木は国民に本土決戦の覚悟を促していた。そして、十五歳から六十歳までの男子、十七歳から四十歳までの女子を義勇兵に招集出来る法案が十二日に可決されていた。

一方、この徹底抗戦の動きとは別に、天皇のもとに軍部の一部から驚くべき実態が報告されていた。

六月十一日、天皇は満州視察から帰国した梅津参謀総長から「満州、支那の兵隊は南方に抜かれていて、せいぜい一回決戦をやるくらいの兵力しかありません。以後の戦争は不可能であります」と大陸での実態がどんなものかを聞いていた。冷静で合理的といわれた梅津からの報告に天皇は驚愕する。

そして追い打ちを掛けるように六月十二日には、天皇自ら国内の実態調査を依頼していた長谷川清海軍大将からも戦争遂行能力が既にないことを知らされていた。

天皇は、「このままでは民族は滅びてしまう。和平も考えなければならない」と内大臣木戸幸一に発言している。

天皇は、聞かされてきた話と実態との乖離に驚き、身心はやつれ寝込むこともあったという。軍部に対する不信感は日増しに高まっていった。

そして木戸らはソ連の仲介による和平工作に本格的に入ることをようやく決意する。マリク工作では非公式での打診であったが、今度は本気で和平に舵を切ったのである。

この頃の政府は、表面上は、徹底抗戦を謳い国民を鼓舞しておきながら、裏では和平を進めるという和戦両様の構えになっていたのである。

六月二十二日には、天皇自らの呼びかけによって御文庫地下防空壕で御前会議が開催される。出席者はトップ六人（首相、外相、陸相、海相、参謀総長、軍令部総長）に内大臣木戸を加えた七名、議題は前もって知らされていなかった。そして、天皇から直々に「和平に向かい努力せよ」との御言葉が発せされる。これは極めて異例の事態であった。

梅津参謀総長は「和平の提唱は内外に及ぼす影響が大きく、慎重に措置する必要がある」と発言すると、天皇自ら「それは一撃を加えた後という意味ではないよね」と尋ねた。これに対して梅津は「そのような意味ではございません」と答えている。この瞬間、小磯内閣時代から続いてきた「一撃講和論」は天皇によって封殺された形となったのである。しかし極秘で行われたはずの御前会議の内容は陸軍中堅将校に嗅ぎ付けられていた。

阿南は、和平の意思を固めた天皇と、徹底抗戦を主張する陸軍、特に阿南を慕う中堅将校との板挟みに苦しむことになる。トルーマンは、就任当初からルーズベルトの日本に対する無条件降伏要求を継承するとしていた。従って、阿南が和平を口にすれば継戦派の将校から「それでは国体は護持出来るのですか。天皇さまは助かるのですか」と問われることになる。確約は出来ない以上、「大丈夫だ」とは口が裂けても言える状況ではなかったのである。

二十二日の御前会議を受け、ソ連大使マリクとの会談は終戦実現に向け二十四日に再開される。今度は、非公式での腹のさぐりあいではなく公式のものであった。

マリクは「日本の具体的見解を聞かないと話は始まらない。それを確認した上で本国に報告したい」と言ってきた。二十九日、広田はマリクに日本側の具体案を示した。その中身は、満州国の中立化と、ソ連領海での漁業権を石油の供給を条件に解消する。そして、ソ連が希望する諸条件についても論議する、という内容であった。

しかし、マリクから回答はなかった。その後、マリクは病気を理由に交渉を拒否してきた。ソ連は、戦争準備のための時間稼ぎに、この広田とマリクの交渉を徹底的に利用したのだ。

七月十三日に、佐藤大使に新たな訓令が出された。天皇の親書を携えた近衛文麿を特使としてモスクワに派遣することを申し入れることであった。

驚くべきことに、この段になっても、日本はソ連との交渉を諦めることが出来なかったのだ。

佐藤大使たちは、モロトフ外相に会見を申し入れた。しかしモロトフはポツダム会談への出席を理由に会見を断ってきた。佐藤は七月十五日に、外務省宛に「皇室の維持だけを条件に無条件降伏かそれに近き講和をなすしか戦争終結への道はない。もっと具体的な提案を切望する」と電報を打っていた。佐藤は、日本が戦争終結に向けた具体的な条件を曖昧にしたままでは交渉を継続することは出来ないと苛立っていたのである。一方の東郷は、終戦条件を具体的に討議すれば必ず閣内は分裂してしまうため出来なかった。そして、近衛に対し終戦条件は白紙委任されていたのである。

七月十八日にはソ連（ロゾフスキ外務次官）から「近衛特使の使命がはっきりしない以上、回答できない」と素気ない回答を受け取っていた。

この近衛特使の件は、後述するポツダム会談でスターリンからトルーマン、チャーチルに伝えられている。そして、「泣く子に子守唄を聞かせ、曖昧に答えておけばよい」との結論になっていた。日本はソ連に対するありもしない幻想を追い続けていたのである。

実は、小磯内閣時代の外相であった重光葵は、ソ連との和平交渉などありえず、日本が和平を申し入れるとすれば、スウェーデンもしくは法王庁を仲介として、英米に対して意向を探るべきであると説いていた。

実際、重光は、スウェーデン公使バッケに和平斡旋の依頼を行い、意気に感じたバッケはスウェーデン政府、外務省に働きかけていた。しかし、小磯内閣は総辞職し、外相は重光から東郷に替わってしまったため、上手く引き継げず不調に終わってしまう。

そして、五月十一日から十四日にかけての最高戦争指導会議で、対ソ工作を始めることが正式に決まり、バチカン、スウェーデン、スイスなど非公式に行われていた和平交渉は打ち切りとなる。この時もし、ソ連に見切りを付けていたら終戦のありようは大きく変わったかもしれない。

実は、このころスイスの武官電報より、アメリカ戦略情報局スイス支局長アレン・ダレス（後のＣＩＡ長官）を仲介とする交渉ルートが出来つつあったが、日本側は「これは敵の謀略」と一蹴してしまう。ダレスは対日穏健派の元駐日大使グルーの元部下であり、「皇室維持」を基礎に交渉する絶好のチャンスであったが、これを潰してしまっていた。

いずれにせよ、ドイツが敗戦した五月八日からの約一カ月余りが日本の分水嶺であったといえたが、日本は残念ながらソ連に縋るという選択をしてしまったのである。

この頃の日本は、完全に平衡感覚を逸していた。ソ連の共産主義を怖れていたはずの陸軍は、いつの間にかソ連に親和的となっていた。共産主義と天皇制は相容れないはずが、両立出来ると考えはじめていた者も多かった。

統帥のトップである参謀総長の梅津は、無条件降伏を要求する米国は絶対に天皇制を許さないであろう。従って、ソ連を味方に付けて徹底抗戦すべきと主張する有様であった。

余談になるが、小磯内閣の末期には元首相である近衛文麿は二月十四日、天皇に上奏文を提出していた。この中で近衛は、「米英では敗戦後、皇室廃絶までは踏み込まないであろう。国体護持の立場より最も憂慮すべきは敗戦の混乱に伴う共産主義革命の方である」と述べている。また、近衛は、「共産主義思想を持つ陸軍革新派の粛清を至急行うべきである」と訴えていた。そうすれば、米英との和平の道が開けるであろうと考えていたのである。

しかし当時、米英との和平など眼中になくソ連に傾いていた陸軍や木戸の意見を聞いていた天皇はこれを却下していた。

そして、これに伴い、裏で近衛上奏文に関与していた親英米派「ヨハンセングループ」が憲兵隊により逮捕される事態となる。この中には、戦後首相となる吉田茂がいた。（ヨハンセンとは「よしだはんせん」から命名されている）皮肉にもこの時の逮捕劇が米国側から見て「吉田は軍に抗った」というふうに評価され、吉田は戦後トップにまで上り詰めるのである。

ポツダム会談

二月のヤルタ会談から、およそ一カ月後、米ソの関係に早くも綻びが出始めていた。端緒となったのは、ドイツ軍に紛れて捕虜となってしまったアメリカ兵の扱いで火を噴いたことであった。アメリカ兵に対する不当な扱いについて米国のハリマン駐ソ大使がクレームを入れ、ソ連に対しアメリカ兵捕虜に対する実態調査を要請する。一方のソ連は、米英がソ連抜きでドイツと協議を始めたことについて絶対に許し難い行為であるとクレームを入れ、捕虜の実態調査を拒否するとともに、ルーズベルトが夢見た国際機構を討議するサンフランシスコでの会議にモロトフ外相を出席させないと表明していた。

米英がドイツと行っていた協議について簡単に説明を加えておく。

これは、北イタリア戦線において、英米の連合国が北イタリアでのドイツ軍トップであるカール・ヴォルフから降伏を打診された時に、米英だけで進めようとしていたことである。この抜け駆け行為にモロトフが激怒し、クレームを入れたのである。

「ソ連をドイツとの戦いの矢面に立たせておいて米英は陰で裏交渉している。抜け駆けを禁止したのは、もともとは米国側ではなかったのか」、モロトフの主張は一応の筋が通っていた。

結局、ソ連はサンフランシスコにモロトフの出席を認めるが、捕虜の調査もうやむやになっていた。

米英側の最大の苛立ちは、ドイツから解放された東欧についてである。もともとヤルタ会談では、東欧諸国は公正な自由選挙で新政府を創出することを約したはずであったが、ソ連の圧力によって実施されないままソ連の傀儡政権が樹立されようとしていた。特に、問題となったのは独ソが分割したポーランドである。ポーランドでは公正な選挙は行われず、ロンドンの亡命政権は蔑ろにされ、ソ連の息のかかったルブリン政権によるポーランド支配が確定されていた。スターリンにとっては、第二次大戦による犠牲（二千百万人以上）に対する見返りだけでなく、陸続きであるドイツ（将来の西側）との間にソ連の衛星国家による緩衝地帯が欲しかったのである。

スターリンは、そもそもヤルタでの合意を守る意思など最初からなかったのである。一方の米国は、ソ連に対して徹底して宥和政策を採っていたが、それもルーズベルトの死をもって終焉していた。

スターリンはルーズベルトの死の報に接し、深く動揺し、うろたえていたと言われる。彼はルーズベルトの死を哀悼する以上に、米国で新たに大統領になるトルーマンとは如何なる人物かに関心を高めていた。

ソ連のナンバーツーである外相モロトフは、四月二十五日のサンフランシスコでの連合国会議に出席する二日前にホワイトハウスでトルーマンと会談を行っている。所要時間は三十分に満たない短いものだった。トルーマンの外交デビュー戦である。ここで嘗められたら今後の主導権をソ連に握られてしまうとトルーマンは意気込んでいた。勿論、米国側の取り巻きも、冷徹なモロトフに対してトルーマンがどの程度やれる男か見極める絶好の機会でもあった。

そしてトルーマンは「ポーランド問題が進展していない」と社交辞令そこそこに切り出していた。更には、「ロシア人にはヤルタ協定をしっかりと履行してもらわねばならん」とモロトフを責め立てていた。

これに対し、モロトフの方は、「こんな言われ方をしたのは初めてだ」と吐き捨て、後味の悪い会談となっている。歴史家の中には、この時のトルーマンとモロトフの仲たがいを冷戦の始まりと見るものもいる。

しかし、このまま連合国の結束が崩壊した状態で戦後処理を進めるわけにはいかなかった。チャーチルが米英ソによる首脳会談を提案し、トルーマンがこれに同意した。そしてホプキンスをスターリンのもとに送りソ連側の合意を取り付けていた。

場所は、ベルリン郊外ポツダムにあるツェツィーリエンホーフ宮殿に決定する。期間は一九四五年七月十七日から八月二日までの十七日間に及んでいた。ヤルタ、テヘランに次ぐ三度目の首脳会談であった。

米国側は、トルーマン大統領、バーンズ国務長官などが参加している。そしてこの中には、陸軍航空隊司令官であるアーノルドも含まれていた。

ソ連側は、スターリン首相、モロトフ外務人民委員（外相）などが駆けつけていた。尚、スターリンはポツダムへの出発前に軽い心臓発作を起こし出発が遅れ、七月十七日の会談開催となっていた。このことは、原爆実験成功の報を待ち受けていたトルーマンにとっては好都合だった。

英国は、事情が複雑で、会談中、本国での選挙に負けたチャーチル首相が前半の七月二十六日まで対応し、二十七日以降アトリー首相が務めている。外相も前半はイーデン、そして後半はベヴィンが務めていた。

当初から予想されたことであったが、英国とソ連は、ポーランド問題やルーマニア、ハンガリーの親ソ政権の承認問題、更にはドイツの賠償問題等で激しくぶつかり合うことになる。英国にとってはソ連への妥協は、戦後の地政学的脅威に繋がってしまう恐れがあったためである。会談自体の雰囲気は比較的友好的であったと伝えられるが、懸案事項の多くは合意に達することは出来ず、先延ばしされていた。

そして、ポツダム会談開催の直前に、米ソのパワーバランスを大きく変える決定的な瞬間が訪れていた。

米国が原爆実験に成功したのである。

もともとこの実験は、アメリカ独立記念日である七月四日に行われる予定であったが延びていた。

実験指定日であった十六日も、あいにく天気が悪く、関係者をやきもきさせていたが、明朝には回復していた。

一九四五年七月十六日、五時二十九分四十五秒、アメリカ・ニューメキシコ州で、プルトニウム型原爆（長崎と同じタイプ）の実験は成功した。実験が失敗に終わる可能性も指摘されていた中での成功には安堵の空気が流れていた。（もともと原爆実験が成功する確率は六十％であると考えられていた）

開発責任者のオッペンハイマーは、グローブスから、「ポツダム会談の開催までには絶対に実験を成功させろ」と猛烈なプレッシャーを受ける中、実験が失敗するかもしれない不安で眠れぬ夜が続いていたという。一方、原爆が上手く爆発した場合でも、「大気圏が燃え上がり世界が破滅する可能性がある」と指摘する科学者までいたのだ。しかもその科学者がノイマンと並ぶ天才、ご神託と言われたエンリコ・フェルミであるから厄介な話であった。実験成功の瞬間、彼は一言「It worked」（上手くいった）と呟いたと伝えられる。

ファインマンの回想では、実験成功後、ロスアラモスは沸きかえり、パーティー、パーティーで大変な騒ぎであったと記されている。

原爆は飛行機からではなく、地上約三十メートルの鉄塔の上に置かれ爆発させられた。そして、爆発と共に鉄塔は一瞬にして蒸発していた。短時間ではあるが、真昼の太陽数個分に匹敵する光が半径約三十キロに広がった。（東京を中心とすると国立、横浜、大宮に到達する規模である）爆音は、百六十キロ離れた場所からも確認され、約二百キロ離れた窓が割れたとの話まである。そして、爆心地（ゼロポイント）の周辺二キロメートルの動植物は全滅していた。オッペンハイマーは、実験当日の雨を怖れていた。雨によって放射性物質が地中深くまで汚染を拡大させるからである。もしこの爆弾を都市に落とせばどうなるか、マンハッタン計画の科学者達は分かっていたのだ。


原爆実験成功の詳細報告をポツダムで聞いたトルーマンは、興奮して小躍りしていた。トルーマンが怖れていたのは、実験でこの爆弾が不発に終わってしまうことであったが、その不安は完全に払拭されていた。実は、原爆実験の成功を確認した上で会談に臨みたかったトルーマンはポツダム会談の開催を引き延ばしていた。（ソ連側からは七月一日開催での提案を受けていたが、半月以上引き延ばしていた）結局、詳細報告を聞いたのがポツダム会談の五日目にあたる七月二十二日である。

それまで、スターリンの発する威圧感の前に、気圧されがちであったトルーマンは、この報告を聞いてから態度を一変させたという。彼は、ポーカーで言えば「ロイヤルストレートフラッシュ」を手にしたのである。
様々な資料に掲載されているポツダム会談の写真（七月二十五日撮影）を是非鑑賞されるとよい。正面から見て右にスターリン、そして左にチャーチルという歴戦の大物が座っているが、中央に座ったトルーマンの自信に満ち溢れた姿を確認できる。

そして誰よりもこの事態に焦ったのはスターリンであった。
彼のもとには、マンハッタン計画に潜ませていたソ連のスパイから米国の原爆開発進捗状況が秘密警察長官のベリアを通じて刻々と入ってきていた。しかし、原爆実験が七月十六日に行われて成功したことまでは知らなかった。そして、トルーマン本人から「巨大な破壊力を持つ新兵器の開発に成功した」との報告を耳打ちされていた。表面的には冷静さを装ったが、スターリンは内心怒りに打ち震えていた。ソ連軍侵攻前に日本軍が降伏してはまずいのである。実験成功の報のあと直ぐに、満州への侵攻時期は、当初決められた八月末から八月十一日に繰り上げられていた。

一方、米軍内では原爆投下候補を巡る熾烈な論争はなかなか決着が付いていなかった。グローブスの京都投下への執着は、変わることはなかった。

スティムソンのところに「軍人たちは京都を諦めていない」との報告が入る。七月二十四日、業を煮やしたスティムソンは、最終承認者である大統領に直訴に行く。

「もし京都に落とせばその無慈悲な行為によって、日本人はロシア人になびくと思います。京都を除外すればソ連が満州に侵攻した場合、アメリカになびくでしょう」とスティムソンは訴えた。そしてトルーマンは、彼の考え方に同意し、投下計画の最終段階で、京都は対象リストから外された。実はスティムソンは京都に二度訪問していた。そして、その文化的価値を高く評価していたのである。スティムソンの頭の中には、夥しい数の神社仏閣、文化施設と一般市民がひしめき合う京都の街が思い浮かんだに違いない。一般市民に対する無差別攻撃だけでも国際的な非難の対象となるのに、これに加え、更に京都に原爆を落としたとなると、下手をすればヒトラーと同等の残虐行為をしたと、アメリカのイメージは極度に悪化し、戦後国際社会をリードする立場にはなれなくなることを危惧していたのだ。

そして、大統領であり最高軍司令官であるトルーマンは、「原爆の投下は、あくまでも軍事施設に限る。女性や子供を巻き添えにしないように」と忠告していた。

グローブスは、京都を外し、広島を投下目標にする案を提示してきた。

広島という聞きなれない都市に対しグローブスは、「広島は軍の大規模施設が集まる軍事都市です」と説明している。そして、グローブスが起草した原爆投下指令書がポツダム会談に出席していた参謀総長のマーシャルに打電され、マーシャルとスティムソンが承認し、七月二十五日に正式に発令される。

これに対し、トルーマンが承認した証拠は残されていない。干渉せずに黙認したのである。

一方、承認したスティムソンの心中は穏やかではなかったであろう。敬虔なキリスト教徒であり、日本に訪問した経験がある彼は、日本人が決して狂信者だけの国ではなく、西洋文明を瞬く間に理解し取り入れた日本に対し一定の評価をしていた。一方で、早く戦争を終わらせるために原爆を使用することの誘惑に駆られてもいた。そして、後述するが、日本が降伏を受け入れやすい最後通牒を出すことで良心の呵責との折り合いを付けようとしたが、バーンズとトルーマンの反対にあってしまう。この時齢七十七であった彼は最後の気力を振り絞って京都を投下対象から外したが、これが限界であった。（因みに、スティムソンは心労がたたり、広島への原爆投下の二日後に心臓麻痺で倒れている）

しかし、我々日本人からすれば、京都は駄目で広島なら良いという理屈はそもそもない。

投下命令書は、トーマス・T・ハンディ（総参謀本部、参謀総長代行）から米陸軍戦略航空隊司令官カール・スパーツ大将宛に送られている。概略は以下である。

『第20航空隊509混成部隊は、一九四五年八月三日以降、目視爆撃可能な天候の日に、最初の特殊爆弾を広島、小倉、新潟、長崎のいずれかへ投下せよ。

準備が整い次第、上記攻撃目標に追加の爆弾を投下するものとする』

準備さえ整えれば何発でも投下せよということを意味した。そして詳細は軍の裁量に任せていることも重要な点である。長崎は軍の判断で原爆を投下している。直接トルーマン大統領の了解を得たものではない。

付け加えると、陸軍南西太平洋戦域の最高司令官であったマッカーサーが原爆投下計画を知ったのは、原爆を搭載したＢ29がテニアン島を飛び立つ二日前である。米軍内でも詳細は極秘で動いていたのである。

因みにマッカーサーはこの頃には、日本占領の準備を部下に指示しており、原爆投下を知って激怒したと伝えられる。

先述したように原爆使用には、英国との事前協議が必要であった。チャーチルは「戦争終結に必要ならばやむを得ない」と回答していた。一方で、チャーチルは無条件降伏を緩めるようにアドバイスしたがトルーマンが拒否している。(先述したようにチャーチルはルーズベルトに対しても無条件降伏の緩和を要求したことがあったが、この時も拒否されている)

七月二十六日、連合国はポツダム宣言を発出する。日本に対して発せられた降伏勧告を宣言したものである。

トルーマンは最後通牒を発出するか躊躇していたが、チャーチルが背中を押していた。宣言は米国、英国、中国の三カ国政府首脳の連名で出されており、中立関係であったソ連のスターリンは含まれていない。

実は、スターリンは、トルーマンから正式に対日参戦の依頼を受けポツダム宣言に署名することを考えていた。この手続きによって中立条約破棄の大義名分を得ようと考えていたのだ。しかしトルーマンとバーンズは原爆という切り札を持ったことで、ヤルタ会談でルーズベルトがソ連に対日参戦を依頼したことなどどうでもよくなっていた。更に、ソ連参戦前に日本を降伏させるためには、スターリンがポツダム宣言に署名する必要はなくなっていたのである。

そして、このポツダムで宣誓文を討議する打ち合わせからスターリンは締め出されていた。ルーズベルト大統領の時代には西側との交渉を常にリードし、自分のペースにしてきたあのスターリンが出し抜かれたのである。

東アジアにおいても米ソは既にチームではなくなっていた。トルーマンはソ連参戦前に原爆で日本を降伏に追い込むことを目指し日本にたいする原爆投下を急いだ。一方のソ連は、先述したように日本が降伏する前に満州に侵攻出来るように準備を前倒しさせている。両国の熾烈な競争が始まっていた。

〈ポツダム宣言の概要〉

全部で十三項からなり、日本がこのまま戦争を継続すれば日本の国土は完全に壊滅されてしまうことが述べられている。そして、日本は軍国主義者の指導を引き受け壊滅への道を続けるか、それとも理性の道を歩むかを決定すべきであることを述べ、戦争終結の条件として以下のものを掲げている。

(一) 無責任な軍国主義の除去
(二) 日本国の戦争遂行能力が破砕されるまで、連合国による日本国領域内諸地点の占領
(三) カイロ宣言の条項の履行、そして日本国の主権は本州、北海道、九州、四国および連合国が決定する諸小島に限定
(四) 日本軍の完全な武装解除、解除後は各自家庭に帰り生活できる機会を与える
(五) 戦争犯罪人に対する厳重な処罰、ならびに民主主義の確立
(六) 賠償の義務の履行

またこの宣言は、以上の諸目的が達成され、日本国民の自由に表明された意思に従って平和的な傾向をもった責任ある政府の樹立を求め、これらが達成された場合には、ただちに占領軍を撤収することを明らかにしている。

このポツダム宣言が発出された七月二十六日は、原爆投下命令（七月二十五日）の後のタイ

ミングであった。

従って、日本がポツダム宣言を受諾しなかったから原爆を投下したという説明は形式的には辻褄が合っていない。


注目すべきは、このポツダム宣言に「皇室維持条項」が加味されなかった点である。

※皇室維持条項
この表現の他に、国体護持、天皇制維持、皇統維持、天皇の地位の保証、等々の表現があるが、筆者としては有馬哲夫氏の「皇室維持」が一番しっくりくる為、この表現を使用する。


米国は暗号解読によって、日本政府がモスクワの佐藤尚武大使に対して、ソ連に和平交渉の仲介をお願いするように指示したことを知っていた。つまり日本が、終戦を模索し始めていたことは米国も認識していたのである。

そして、連合軍が日本に対して皇室維持条件を明確に示せば、日本がポツダム宣言を受諾する可能性が高いことも元駐日大使グルーの進言などからも理解していた。

グルーは、第一次世界大戦後、王室が廃止されたロシアやドイツが共産化した歴史的事実を持ち出し、もし日本が皇室を廃止すれば日本も同じく共産化することを恐れたのだ。

グルーは、原爆投下にも反対していた。「もし日本に原爆を投下すれば日本はソ連の側に行ってしまう」と警鐘を鳴らしていた。グルーの狙いは、早期に皇室維持を明確に示して、原爆投下の前、そしてソ連の参戦前に日本を降伏に導くことであった。

五月十一日には、スイスの加瀬俊一ベルン公使が、非公式ではあるが、米戦略情報局（OSS）のフリードリッヒ・ハックと接触し、日本側から和平の条件として、「皇室の維持」を伝えてもいた。

陸軍長官であるスティムソンは、ポツダム宣言に皇室維持条件を提示することをトルーマンに進言している。そして、スティムソンが直接関与したポツダム宣言の草案には、皇室維持条項が入っていた。（スティムソン案では「平和的な傾向をもった責任ある政府」には、「現皇統の下における立憲君主制を含み得るものとする」と追記されていた）

更に、スティムソンは、無条件降伏という表現も日本との和平交渉を進めるうえでの妨げになるため、もう少し柔らかな表現が望ましいと主張していた。彼の考えの背景には、先述した日本に対する無慈悲な行為は出来れば避けたいという思いと共に陸軍の厭戦気運の高まりがあった。彼は、フロリダで航空部隊を視察した時に、欧州戦線の任務を完了させた後、太平洋戦線に配置換えされた兵士の疲労の濃さを憂慮していた。「一日も早く戦争を終わらせなければならない」これが米国陸軍トップであるスティムソンの本音であったと思われる。そして、出来るだけ日本が降伏を受け入れやすい内容にしたのである。彼にとって条件付き降伏勧告は、戦争終結のための切り札であった。従って、この時点でスティムソンにとっての最優先は戦争終結であって、この目的が達成されるのであれば原爆は必要ないと考えていたのではないかと推察される。

しかし、ポツダム会談の直前に国務長官となったバーンズはスティムソンの考えには同意せず、ポツダム宣言の最終案では皇室維持条項を削除し、トルーマンはこれを受け入れた。もともとトルーマンはルーズベルトの無条件降伏を引き継ぐことを宣言していたし、本人も真珠湾の仕返しに拘っていた。更に、米国内世論の厳しい天皇批判を無視することも出来なかった。(世論調査では約七割が天皇に極刑を含む何らかの措置をもとめていた)

そしてトルーマンとバーンズの頭には、日本が直ぐに降伏しては、原爆の実戦での使用が出来なくなるという懸念があったと思われる。もし原爆を使わなければ議会から二十億ドルの責任を追及されることになる。更には、ソ連を威嚇する絶好の機会も失うことになると考えていた可能性が高い。

広島、長崎

ロスアラモス研究所を出発した原爆は七月三十一日には、テニアン島で組み立てを完了していた。

危険極まりない原爆は完成品を米国本土からテニアン島に移送したのではない。いくつかの部品に分けられ、海路と空路で運ばれテニアン島で組み立てを行ったのである。広島に投下したリトルボーイは、最後の作業を広島に向かう途中のB29機内で行っている。もし離陸に失敗したらリトルボーイが大爆発を起こし、テニアン島は使用不能になることを避ける為であった。

原爆を投下する部隊として編制された特別部隊509混成グループがテニアン島に集結していた。指揮するのはポール・ティベッツ大佐である。戦後、ティベッツは、原爆投下の責任を問われ批判されることもあったが、戦後のインタビューでは、「原爆投下は任務だった。またやれと命令されたら、ためらいなくやる」と答えている。

七月二十九日には、509混成部隊は最後となる三度目の爆撃訓練を終えていた。

投下訓練の狙いは、目標に正確に投下する技量を上げることと、投下後の爆弾の衝撃から飛行機をどのように守るかであった。
「広島には米軍捕虜はいない」という情報が入ったことで、広島を第一目標にすることにためらいはなくなっていた。出撃前八月四日のブリーフィングでは、ニューメキシコでの実験のスライドが公開され、「この爆弾はTNT火薬二万トンに匹敵する」と説明された。色付きの保護メガネが配られ、「爆弾の噴煙には近づくな」と忠告されていた。勿論、噴煙は放射能を含んでいるからである。

出撃の数時間前まで搭乗員十五名のほとんどは礼拝堂にいた。従軍牧師が祈りを捧げ、一同が「アーメン」を唱えていた。そして、万一捕虜になった時のための青酸カリが配られていた。八月六日午前二時ごろ、広島に向け原爆を積んだB29「エノラ・ゲイ」と観測機「グレート・アーティスト」、そして写真撮影機「ネセサリー・エビル」がテニアン島を飛び立っていた。これに一時間先立ち気象観測機三機が投下候補地、広島（第一目標）、小倉、長崎に向け飛び立っている。乗組員たちは、「この新型特殊爆弾が戦争を終わらせる」と説明を受けていた。

先陣を切ったB29の気象観測機が日本列島にさしかかったころ、日本の警戒レーダーに捕捉され、空襲警報が出されていたが、米軍機が小規模なものであったため警報は取り消されていた。

午前八時十五分、広島にウラン型原爆（リトルボーイ）が投下される。

標的は、相生橋であったが、約二百メートル外れて島病院の上空で爆発した。爆発の高さは約五百八十メートルで、この高さは、ノイマンによって損害が最大になるように事前に計算された数値であった。爆心地の温度は太陽表面温度の一万倍の六千万度に達していた。

閃光、熱線、衝撃波、そして爆風による直接の被害に続き、火災により市内家屋の七万戸が全焼していた。続いて放射能を含んだ「黒い雨」が広島の街に降り注ぎ、放射能被爆による被害が追い打ちを掛けていた。（白血病のピークは六年たった一九五一年である）原爆とは通常爆弾（TNT火薬）とはまったく別の恐ろしい殺戮兵器であった。

そして広島では、一九四五年末までに市民約三十五万人の内、約十四万人が死亡している。そのほとんどが罪のない一般市民であった。

トリニティ（実験）によって、こうなることはわかっていたはずだ。

投下作戦のリーダーであったティベッツ大佐は、事前に準備していた報告文をテニアン島に打電していた。

あきらかに、すべてにおいて成功せり。
目視できたかぎりでは実験より大なる効果あり。

広島にて。爆弾投下後も機体は正常。

これより基地へ帰投する。

（ジョージ・R・キャロン&シャルロット・E・ミアーズ　金谷俊則訳『わたしは広島の上空から地獄を見た』文芸社、二〇二三年より）


そして、八月九日には長崎にプルトニウム型（ファットマン）が投下される。

この日の長崎は断続的な空襲警報が出されていたが、人々は普段と変わらぬ生活を送っていた。十一時二分、B29ボックスカーからプルトニウム型の原爆が投下され、松山町の上空五百メートルで炸裂した。

実は二発目は最初小倉に向かっていたが、目標地域上空は一面の雲に覆われており、何度か爆撃工程を繰り返したが断念する。そして、第二の目標地である長崎に急遽変更したのである。（長崎は、原爆の効果が発揮されにくい地形であり、また捕虜収容所が存在した為、予備目標地とされていた）

長崎は、八月一日には、三菱重工の工場などに対してB29の小規模な爆撃を受けていた。もし軍事施設だけならば通常の爆撃で十分だったはずである。

この二発目の原爆によって、長崎市民二十四万の内、七万四千人が死亡している。

長崎は江戸時代より苦難に耐えたキリスト教布教の歴史があった。その象徴と言えるものが浦上天主堂であり、爆心地からは五百メートルしか離れていなかった。そして、付近に住む約一万二千の信徒の内、約八千五百人が原爆の犠牲になっていた。

威嚇ならば、何故二発必要だったか。タイプの違う原爆を試したかったからではないか。ニューメキシコでのトリニティ（実験）はプルトニウム型で行われており、何としてもウラン型を試すために広島は同型になったのではないか。そして、東ヨーロッパ、満州を席捲しようと目論むソ連を威嚇するには、複数所持しているところを見せたかったのではないか。「三発目は、まかり間違えばお前らに落とすかもしれない」ソ連に対するこれ以上の牽制はない。

一方、マンハッタン計画の科学者たちは、広島に続き長崎にも投下されたことに驚きを隠さなかったといわれる。

八月六日、ポツダム会談の帰路、トルーマンは重巡オーガスタの食堂で最初の報告を受ける。それは乗員たちと昼食をとっているときであった。

電文にはこうあった。

陸軍長官から大統領宛

ワシントン時間八月五日午後七時十五分、広島に大型爆弾を投下

完全なる成功との第一報
先の実験をはるかにしのぐ結果
(『わたしは広島の上空から地獄を見た』より)

この時、彼の第一声は「賭けに勝った。大成功した」と興奮冷めやらぬ状態であったと伝えられる。そして、「歴史上、最高の出来事だ」と叫んでいた。

帰国後の八月八日の午前、トルーマンはワシントンで具体的な原爆の被害状況を聞いている。そしてスティムソンから街が跡形も無くなった無残な広島の写真を見せられていた。

「広島は軍事都市ではなかったのか!」、彼は、自身が想像したより遥かに多くの一般人を巻き添えにしたことに驚愕し、自身が下したことがどのような意味を持っていたのかを初めて知ることになる。

そして長崎に二発目を落とした後の八月十日、全閣僚を集め、三発目の原爆投下を中止する決断を伝えた。

「広島は壊滅し約十万人の命が失われた」
「これ以上、多くの人々、特に子供たちを殺すのは、考えただけでも恐ろしい!」
「今後は私の許可なしで原爆を使用してはならない」

軍が三発目の準備を進めていた矢先の出来事だった。準備は順調に進捗していて、早ければ八月中旬以降には完成できる見込みであった。

トルーマンは、原爆投下直後の声明発表から三日後、国民に向けラジオを通して詳細報告を行っている。

そこで語られていたのは、米国は事前に警告（ポツダム宣言）を発したが拒否されたこと。広島は軍事基地であったこと。そして敵（ドイツと日本）は開発直前だったこと。更には真珠湾に対する懲罰を与えたこと。そして最後に、若いアメリカ人を救うために原爆を作ったことを強調していた。

事前警告を日本は拒否したとあるが、ポツダム宣言に原爆という直截な表現はなかった。そして、既に述べてきたように「皇室維持条項」を外して受け入れにくくさせていた。もし原爆投下をギリギリまで回避したかったのであれば、発出後に何らかのフォローがあってしかるべきであるがそうした行動は何も取っていない。日本がポツダム宣言の条項をベースに終戦の「落としどころ」を模索し始めていたことは暗号解読で知っていたはずである。

そして、驚くべきは、敵が開発直前であったと述べている点である。先述したようにドイツは原爆の開発を断念していたことを米国は知っていたし、五月に降伏していた。一方の日本は、「日本の現代物理学の父」といわれ、あのハイゼンベルクも実力を認めていた仁科芳雄が理化学研究所で原爆に対する研究を行っていたことは事実であったが、理論面の研究は進んでいたものの、原料となるウラン鉱石を確保出来ていなかったことを米国は知っていた。（原料となるウランをドイツから譲ってもらう計画を米国は暗号解読しており、輸送用のユーボートは拿捕されている）従って、「開発直前であった」とは、完全な虚偽である。

真珠湾に対する懲罰（パニッシュメント）は、戦中・戦後において原爆投下に対するアメリカ側の主張として必ず出て来る話である。しかし、真珠湾という軍事基地に対する復讐というのであれば、広島も軍事基地でなければ辻褄が合わない。しかし、広島に軍事施設はあったが軍事都市ではなく、ほとんどは一般市民の住む街であった。

勿論、こうした虚偽やプロパガンダは、日本の大本営も散々行ったし、どこの国でも行われていた。

問題はこの神話の一部は、戦後も継続して語られている点である。「原爆は、日本本土決戦を回避させ、五十万から百万人のアメリカ人と、それ以上の日本人を救った」ことが正史として定着しているのである。

米軍の日本本土上陸作戦は、「オリンピック作戦」（九州南部に対する上陸作戦、一九四五年十一月一日に発動）と「コロネット作戦」（オリンピック作戦の五カ月後、東京周辺の海岸に上陸）がある。この戦闘での米軍戦死者数の見積もりは約四万人であったことが分かっている。

（一九四五年六月十五日付の統合戦争計画委員会の報告書によれば、死傷者数約十九万人、戦死者四万人となっている）

ＮＨＫスペシャル『決断なき原爆投下～米大統領　71年目の真実～』（二〇一六年八月六日放映）では、原爆計画責任者グローブスのインタビューの模様が出て来る。（一九七〇年四月三日、グローブスが死去する三カ月前の肉声より）

「トルーマンは原爆計画について何も知らず大統領になった」
「そんな人が原爆投下を判断するという恐ろしい立場にたたされた」
「大統領は市民の上に原爆を落とすという軍の作戦を止められなかった」
「いったん始めた計画を止められるわけがない」
「原爆が完成しているのに使わなければ議会で厳しい追及を受けることになる」
「最初の原爆は破壊効果が隅々まで行き渡る都市に落としたかった」

グローブスにとって原爆は、戦争を終結させる手段としてだけではなく目的になっていたのである。

そして、広島に対する原爆投下はスターリンにとっても衝撃的であった。彼はモロトフ外相、ベリア秘密警察長官に、「原爆は日本に対してではなくソ連に対して落としたのだ。ソ連領からアメリカ空軍を締め出せ」と怒りを露にしていた。そして、あらゆる手段を用いて原爆を開発するように命じている。

原爆投下に懐疑的であったシラードやその他多くの科学者が懸念していた核開発競争が始まったのである。

八月六日の広島への原爆投下によって、満州への侵攻計画は、十一日の予定を更に繰り上げ九日朝に修正される。度重なる前倒しにワシレフスキー元帥の部隊は混乱したが、スターリンの命令は絶対であった。

ところで、この原爆に関し、日本軍のインテリジェンスはどのように機能していたのか気になるところである。

参謀本部第二部第六課に属していた堀栄三は、米軍の怪しい動きを察知していた。

堀は、情報将校として伝説的な人物であり、米軍の動きを様々な情報から的確に予測し「マッカーサー参謀」とあだ名されていた程の人物である。例えば、缶詰め会社、食料品会社、製薬会社の株価が米軍の大作戦が発動する前に動くことを察知し敵の動きを予測していたことは有名である。

堀が所属していた第六課に情報を伝えていた特種情報部は、B29の発信する電波の動きを徹底追跡していた。そして、一九四五年五月中旬、ホノルルを発ってサイパンの方向に向かったB29が怪しい動きを繰り返し、ある時ワシントンに向け普段にはあり得ない長文の電文を発信したこと、更には十数機の小編隊を組んでいたことを突き止めていた。そして、そのB29のコールサインはV600番台で始まるまったく新しいコールサインであった。堀らの第六課の米国班は、このB29を「正体不明機」とか「特殊任務機」と呼んでいた。（コールサインとは発信者が誰であるかが分かるようにしたものである。通信内容は暗号化されており解読できなかったが、どの島からどれだけの数の飛行機が出撃したかは分かっていた。グアムから飛び立つ飛行機はV500、テニアンはV700、サイパンはV400と指定されており、V600は新しいコールサインであった）

一方、「七月十六日、ニューメキシコ州で新しい実験が行われた」という外国通信社の記事も目についていた。

結局、この二つの情報を結びつけ、追跡していた「正体不明機」は、原爆投下という任務を帯びていたことを見抜くことが出来なかったのである。

堀は、戦後以下に悔悟の念を述べている。

略……「ニューメキシコ州で新しい実験が行われた」という外電情報が、原爆実験であったと結びついたのは、広島に原爆が投下されてから数時間たっての反省と悔悟の結果であり、確実に原爆と堀たちが確認したのは、八月七日早朝ワシントンでトルーマンが正式に発表した放送内容を特情部がキャッチしたときであった。われわれは、沢山の情報の中の一粒の金を見失っていた。ただそれが金であると見抜く能力がなかったのだ。正体不明、特殊任務の内容がはっきりしたときには、広島十万市民の生命はすでに失われてしまっていた。

予備知識の程度でも、また原爆の「ゲ」の字のかけらでも、われわれの知識の片隅にあったら、また米国国内の諜報網が健在していたら、通信諜報のコールサインだけでなく、一部でもよいからB－29、なかんずくV六〇〇番部隊の暗合の解読が出来ていたら、あるいはスウェーデンを経て入手したM－二〇九暗号機での解読が、もう一ケ月早く完成していたら、あの不明機の正体は必ず判明していたであろうに。……略（堀栄三『大本営参謀の情報戦記』文春文庫、一九九六年より）

少し説明を加えると、この中で、「米国内の諜報網が健在していたら」とあるが、これは何を意味するのか。

実は、日本は日米開戦の前に、横山一郎大佐、実松譲少佐といった海軍武官を中心に米国に対する諜報網を米国内に構築していた。しかし、その動きを察知した米国側がスパイ狩りを行い、開戦前には壊滅的な打撃を受けている。止めを刺したのは、開戦後米国が一番にやった日系人の強制収容であった。この措置は真珠湾攻撃に対するアメリカ人の反日感情の表れだけではなく、隠れた目的の一つとしては、日本が米国内に構築した諜報網を一網打尽にすることにあったのである。（戦中、米国内に残された日本の諜報網には、「情報の須磨」と呼ばれた駐スペイン公使 須磨弥吉郎がスペイン人ベラスコに創らせた「東機関」があったが、これも一九四四年中頃には壊滅していた。この「東機関」は様々な重要情報を日本本国に送っていたが有効活用されることはなかったといわれている）

更に堀の回想を続ける。

戦争中一番穴のあいた情報網は、他ならぬ米国本土であった。日本の陸海軍武官が苦労して、爵禄百金を使って準備した日系人の一部による諜者網が戦時中も有効に作動していたなら、サンフランシスコの船の動きや、米国内の産業の動向、兵員の動員、飛行機生産の状況などがもっと克明にわかったはずだ。いかに秘密が保たれていたとしても、原爆を研究しているとか、実験したとか、原子爆弾の「ゲ」の字ぐらいは、きっと嗅《か》ぎ出していたであろうに、一番大事な米本土に情報網の穴があいたことが、敗戦の大きな要因であった。いやこれが最大の原因であった。日系人の強制収容は日本にとって実に手痛い打撃であった。（『大本営参謀の情報戦記』より）

もう一つ、M209暗号機での解読とあるが、これは在スウェーデン公使館附陸軍武官であった小野寺信陸軍少将を経由して入手した暗号機械クリプトテクニクであると思われる。特種情報部は、この暗号機を改良して暗号解読を行い「ヌクレア（核の）」という文字を検出していた。しかし、そのタイミングは広島・長崎に原爆が投下された後の八月十一日になってからであった。

これには、陸軍特種情報部も地団駄を踏んで悔しがったがすでに遅かった。日本が情報にもっと、ひと・もの・かねをかけていたら間に合ったかもしれなかったのである。

付け加えると、日本はリソースの問題だけでなく、組織的な取り組みも出来ていなかった。実は、海軍にも「大和田通信隊」があり、陸軍の特種情報部と同じ諜報活動を行っていたが、協力関係は薄くライバルとして張り合っていた。もし強力な協業体制をとっていれば、リソース不足を補い合えたはずであったが最後までそのような動きにはならなかった。

余談になるが、連合国側の諜報組織はどのようになっていたか説明を加えておく。先ず、英国では、機密情報を客観的に分析するための「合同情報委員会」という省庁横断型の仕組みがあった。この中で十分に吟味され評価された情報はトップであるチャーチルに迅速に伝えられ政戦略の立案にフィードバックされていた。一方、米国では、日本同様に陸海軍は反目し諜報に関しても統一した動きがとれていなかったが、戦争の危険性が高まるにつれ連携するようになり、特に重要な日本に対する防諜に関しては、陸軍と海軍で傍受を分担していたといわれている。
もし日本が、事前に「米国が原爆実験に成功し、B29がその投下訓練を開始した……」と情報分析・評価し、それを中央にフィードバックする仕組みを持ち合わせていれば、終戦は違ったものになっていたかもしれない。

更に、堀は米国との戦争全般を振り返り以下に語っている。

日本が開戦に踏みきって、日の丸を掲げて太平洋の島々に無血上陸を敢行していったとき、米国は恐らく、日本が罠《わな》にかかったと、内心ほくそえんでいたに違いない。飛び石作戦には、太平洋では防禦よりも攻撃が有利であったからである。日本は戦場の研究さえもすっかり忘れていた。
返す返すも米国通といわれた人びとが、中央部から疎外されて、権力者に都合のよい者たちだけが中央の要職を占めたのは残念極まることであった。(『大本営参謀の情報戦記』より)

飛び石作戦とは、日本が緒戦に守備隊を配置したのが大小二十五島であるが、米軍が上陸したのはわずか八島に過ぎず残りの十七島は放ったらかしにされた。戦略上不要なものは放っておけばよいと米軍は考えていた。

しかもこの攻略作戦構想を米軍は一九二一年から練り上げていたことが戦後明らかになっている。

緒戦で日本の兵站を延ばし、反攻の準備が完了した時点で、無駄のない飛び石作戦により攻勢に転じ、戦略爆撃が可能な要衝（マリアナ）を押さえた時点で、日米戦は詰んでいたのである。

米国は、最初から大きなストーリーの下で戦っていたのだ。巨大な戦力の差だけでなく、情報戦を含めた戦略でも日本は完敗していたのである。

日本の情報力について米国側がまとめたレポートがあるので概要を紹介しておきたい。この中で、以下の五つを日本側の問題点として指摘している。

①ドイツが勝つと断定し、連合国の戦力（士気を含めて）を過小評価したこと。
②航空偵察の失敗により、最も確度の高い大量の情報を逃したこと。
③陸海軍の円滑な連絡が欠けていたこと。
④情報関係のポストに人材を得なかったこと。所謂作戦第一、情報軽視のことである。
⑤日本軍の精神主義が情報活動を阻害する作用をしたこと。

これを知った堀は、あまりにも的を射た指摘に、ただ脱帽あるのみである、と述懐している。

そして、堀は自壊の念を込めて、以下に語っている。

いずれにしても情報の任に当る者は、「職人の勘」が働くだけの平素から広範な知識を、軍事だけでなく、思想、政治、宗教、哲学、経済、科学など各方面にわたって、自分の頭のコンピューターに入力しておかなければいけなかった。……略……「日本よ、将来とも情報を軽視してはならない」（『大本営参謀の情報戦記』より）

付け加えると、堀が指摘していたインテリジェンスの問題だけではない。原爆と見抜くことが出来なかったとしても、もっと臨機応変に柔軟な対応が出来たはずである。

原爆を積んだB29が広島上空に近づいた時に、参謀本部はV600のコールサインから、特殊任務機であることは察知していた。原爆である確証はなくとも空襲警報を継続していたら被害は少なくて済んだはずである。ましてや特殊任務機が原爆を搭載していることが解明された後、何故長崎への原爆投下を阻止出来なかったのか。この時、B29を高空で迎撃できる最新鋭戦闘機（紫電改）は長崎から僅か十五キロしか離れていない大村の基地で待機の状態にあったにもかかわらず出撃命令は出されていない。紫電改による迎撃が出来なかったとしても、市民に対する空襲警報を徹底すれば被害を最小限にすることも出来たはずである。長崎投下の日にはソ連参戦という緊急事態があり政府、参謀本部は大混乱状態であったことは推察されるが、長崎に対しては何らかの措置を取るべきであった。B29を捕捉したのが陸軍の特種情報部で、紫電改は海軍航空隊である。もし陸海軍の連携の悪さによって対応が出来なかったとしたら只事で済まされる問題ではない。

戦後、大村の基地にいた海軍のエースパイロット本田稔氏はNHKのインタビューに以下に答えている。

「落ちない飛行機じゃないんです、B29は。私は実際落としていますから。非常に難しいですが落ちない飛行機じゃない。いまなお悔しいですね。なぜ出撃命令を出さなかったのか。それだけ情報がなかったのでしょうか……」

……略……参謀本部の井上忠男中佐が「特殊爆弾　V675　通信上事前ニ察知スル長崎爆撃前　5時間前」と書き残していた備忘録を見せ、諜報部隊が摑《つか》んでいた原爆機のコールサインの情報について説明した。……略……

「わかっとったんですか!?　何で命令出さないんですか。五時間もあったら、十分待機できたはずですよね。長崎の原爆は落とされなくて済んだと思いますよ。これがあったら絶対に長崎はやられていない。これだけわかっていて、どうして命令を出さないんですか、

大本営は」（ＮＨＫスペシャル取材班　松木秀文、夜久恭裕『原爆投下　黙殺された極秘情報』新潮文庫、二〇一五年より）

硬直化した組織とはこうも反応が鈍いものなのか。指導者たちはあまりにも愚鈍であった。

そして米国も根本的な問題を抱えていた。トルーマンが広島の惨状を航空写真で知って原爆投下中止を決心しているが、時間的には長崎の原爆投下は阻止しようと思えば出来たはずである。しかし、長崎への投下とそのタイミングを軍の原爆関係者に任せてしまっていたことが仇となっていた。トルーマンにしてみれば、まさか三日後に二発目を落とすとは思ってもみなかったのである。彼は、原爆をコントロール出来ていなかった。

もうひとつ広島の原爆投下を阻止出来たかもしれない興味深いエピソードがあるので紹介しておきたい。

先述したように原爆は部品を海路・空路によってテニアン島に集め組み立てＢ29に搭載していた。そしてこの部品の一部を輸送していた重巡洋艦インディアナポリスは、無事にテニアン島に部品を降ろした四日後、日本海軍の伊58潜水艦から放たれた魚雷によって撃沈されていた。インディアナポリスは対潜水艦用の音波探知機を搭載していなかったことが致命傷になっていたのである。もし日本のインテリジェンスが機能して、あの時インディアナポリスがテニアン島に向かうタイミングで撃沈出来ていれば、広島に原爆は落ちていなかったのである。

御前会議

七月二十六日に発出されたポツダム宣言は日本政府にとっては、まったく予期したものでなかった。このころ日本政府はもっぱらソ連を仲介とする和平工作に目を向けていたからである。ポツダム宣言直後の政府内の関心は、「ソ連がこれに関与しているだろうか」であった。スターリンの署名がないことが関係者の注目を浴びていた。

更に、天皇制護持に関しては触れられておらず、この二点によって日本政府は態度を鮮明に出来ずにいた。

ポツダム宣言を受け入れることに反対したのは、阿南陸相のみならず、和平派の米内海相も同じであった。

一方、東郷外相は、この条文の中に『またこの宣言は、以上の諸目的が達成され、日本国民の自由に表明された意思に従って平和的な傾向をもった責任ある政府の樹立を求め、これらが達成された場合には、ただちに占領軍を撤収する』という一文に注目し、国民が望めば立憲君主制のもと皇室は存続できると、宣言文の行間をそのように読んだ。そして、木戸内府や天皇に「アメリは皇室を廃止し、国民を奴隷化することはありません」、と伝えていた。

しかし、皇室維持の確約が記されていないこと、更にはソ連の出方を確認するために一旦スルーすることで閣議決定する。

本当は、「ノーコメント」としたいところを英語は敵性語であった為に使用できず、鈴木首相は記者会見の場で「黙殺」という言葉に置き換えた。しかし意に反し、この黙殺という言葉を日本のマスコミはIgnoreと訳し、海外のロイター、AP通信といった通信社はReject「拒否」と訳し世界中に拡散してしまう。鈴木首相は後に伝え方を間違えたことを後悔したと言われている。

トルーマンやバーンズは、日本が拒否してくることは当然予想していた。そして、グローブスら原爆強硬派にとっては原爆投下を正当化するために発せられたものである以上、拒否されなければならないものであった。

しかし、日本側も、もし、米国が皇室維持条件を付けてポツダム宣言をしてきた場合、受諾を即答できたかというと簡単ではなかったはずである。ソ連の仲介による和平に最後まで縋っていたためである。この時点では、皇室維持は必要条件であるが、まだ必要十分条件ではなかったのである。更に、阿南が陸軍中堅将校を中心とした継戦派を何とか押しとどめていた状況からも受諾は難しかったと思われる。

そして、ポツダム宣言から十一日後の八月六日に広島に原爆が投下される。投下の報せを受け、東郷外相は「原子爆弾か。これで戦争も終わりだな」と呟いていた。先述したが、原子爆弾を持ったものがこの戦争に勝つことは以前よりいわれていたことである。

その原爆が広島に使われたことによって敗戦は確実になったことを意味した。天皇も「このような爆弾が使用された以上、戦争は続けられない。なるべくはやく終結をみるように取り運んでもらいたい」と憔悴した面持ちで答えていた。

翌日の閣議では、非人道的兵器の使用について国際法の精神にもとるとして米国に厳重抗議することを決める。そして、ポツダム宣言の受諾を東郷が提案し、米内が賛同するが、阿南が猛然と反対する。

「まだ原爆と決めつけるのは早い。敵の謀略の可能性もある。詳細な調査を行ってから今後の方針を判断するべきである」閣議では阿南の意見が通り、原爆ではなく「新型爆弾」と呼称される。

東郷は、ポツダム宣言をスルーしたことに外務大臣としての責任を強く感じていた。そして彼は、佐藤駐ソ大使に近衛元首相の派遣に関するソ連側の回答を催促していた。

一方の阿南は、閣議で強気の発言を繰り返していたが、もし弱気な発言をすれば、情報は洩れ、クーデターが起こる。その規模は二・二六事件どころの騒ぎではなくなることを憂慮していたのだ。


八月八日の夕刻、内閣書記官長の迫水のところに理化学研究所の仁科博士から連絡が入る。

「六日に広島に落とされた爆弾は原子爆弾に間違いない」と博士は涙ながらに報告した。

仁科は、アメリカが大戦中、本当に原爆を完成させることはないだろうと考えていたが当てが外れていた。あのハイゼンベルクですら大戦中には無理であろうと考えていたほど原爆の開発は容易ではないと考えられていたのである。


八月八日（日本時間の午後十一時、モスクワ時間午後五時）に佐藤大使は、ソ連外相モロトフに呼ばれる。

佐藤は、ついに近衛特使の件ではないかと待ちに待った回答を期待して向かったが、内容は対日宣戦布告状であった。佐藤は至急日本政府に伝えるべく執務室に向かったが、案の定電話線は切られていた。佐藤はやむなく通常の国際電報で伝えるしかなかった。ソ連は、日本との交渉を戦争準備の時間稼ぎのために利用しただけであった。佐藤は、ソ連との交渉継続に懐疑的であったが、ソ連の好意に一縷の望みを託していた。それが全て失われたのである。日本は、中立条約交渉から約半年もの間、ソ連から子守唄を聞かされていたのだ。

八月九日午前一時、ソ連の侵攻が開始される。この報はすぐさまに政府関係者に伝えられていた。参謀本部の実質的トップである次長河辺虎四郎中将の日記には、「予の判断は外れたり」と書かれていた。

河辺は陸軍大学校を優等で卒業しているエリート中のエリートであったが、典型的な確証バイアスに掛かっていたのであろう。「ソ連はまだ攻めてこない」という自分の仮説に合う情報に縋ってしまったのである。

この報に接した鈴木首相は、「ついに来るべき時が来た」と戦争終結はまったなしであることを覚悟したという。

米内も秘書官の古川からソ連参戦を聞かされる。米内は「ついに来たか」と言った。彼もソ連の和平仲介に一縷の望みを託していたが当てが外れたのである。

東郷は朝の四時、ソ連参戦の報せを外務省ラジオ室の係官から聞いている。

「ほんとうか」と言うまでに数秒を要していた。日本側の再三にわたる申し入れにソ連が応じなかった理由がはっきりと理解出来た。時間稼ぎされていたのだ。

最初の和平打診から約二カ月、最小限の好意は期待出来るかと思っていたが、全てが裏切られていた。

東郷は開戦の時も外務大臣を務めていた。戦争回避のための努力をギリギリまで行ったが、米国は一切の妥協を認めず、ハルノートを提示してきた。日本は、海千山千の大国の思惑に翻弄され続け、それを跳ね返すだけの国力も深慮遠謀も持ち合わせていなかったのである。

付け加えると、日本は、ソ連に対する宣戦布告はしていない。もし宣戦布告していたならば、ソ連は何の仮借もなく徹底的に日本を攻めたであろう。そうなれば北海道はおろか国家が二分されていたかもしれない。このことは数少ない正しい外交的判断であった。


そして、ソ連の満州侵攻に落胆したのがトルーマンである。米国は広島への原爆投下でソ連を驚愕させ、ポツダム宣言の署名からソ連を排除することに成功していたが、今度は米国が苦汁を舐める番であった。ヤルタでは中国との合意がないと密約は履行出来ないはずであったが、中国との合意が出来ていない状態で、日本降伏前に奇襲攻撃を仕掛けたのである。（先述したように、中ソ友好同盟条約は一九四五年八月十四日締結されているが、満州侵攻の五日後であった）

日本は、九日の会議でやっと、リアリズムを取り戻していた。

午前十時半、宮城内の地下壕へ最高戦争指導会議の構成員が集合した。

鈴木はこの時に奥の手を考えていた。

最高戦争指導会議で決着が付かない状態のまま、御前会議を召集して天皇の御聖断を伺い、その結果をもって再度閣議を開きポツダム宣言の受諾に持っていこうと考えたのである。

厳密には、国法やぶりであったが、鈴木は「死刑は覚悟している」と腹を括っていた。

日本の意思決定は全会一致が原則であった。最高戦争指導会議では、政治（陸相、海相）と統帥（参謀総長と軍令部総長）は同格になり、意見が割れた時のセンター、責任者がいなかった。そして最終的な国策決定の場であるはずの御前会議は、まったくもって形式的な会議に過ぎなかった。戦後、東京裁判で鈴木貞一（企画院総裁）は、「御前会議は癌だった」と答えている。昭和天皇ご自身も独白録で「実に厄介な会議であった」と回想している。

最高戦争指導会議のメンバーは、鈴木首相、東郷外相、阿南陸相、米内海相、そして統帥部からは、梅津参謀総長、豊田軍令部総長の六名である。開口一番、鈴木首相が口火を切った。

「広島の原爆に続き、ソ連が参戦しました。これ以上の戦争継続は不可能です。もはやポツダム宣言受諾以外に我々の選択肢はないと思う。各自の率直なご意見をうけたまわりたい」

東郷外相「天皇の国法上の地位を変更しない事のみを条件に受諾するべきである」

この案に米内が賛同する。

阿南陸相「天皇の地位の他に、占領は小範囲、小兵力、短期であること、更に武装解除は日本人が行うこと、そして戦犯処理も日本人に任せること。以上の四条件を付けることが必要である。中立条約を破ったソ連は不信の国であり、都市への無差別攻撃を行った米国は非人道の国である。これらの国に皇室を任せるわけにはいかない」
梅津参謀総長「私は陸相の意見に同意する」
豊田軍令部総長も阿南と梅津と同意見であった。
東郷「四条件を出して交渉が決裂したらどうするのか」
阿南「本土決戦をするのみである」
東郷「陸相は勝つ見込みがあっての発言か」
阿南「勝利は確実とは言えないが、敗北必至とも言えない」
米内「サイパン、レイテ島、ルソン島、硫黄島、沖縄、全て負けているではないか」
阿南「海戦では負けているが戦争では負けていない」「海軍は艦艇がほぼ全滅したが、陸軍は内外地に六百万の大兵力がある。まだ本当の決戦を一度もしていない」
会議の最中正午過ぎ、内閣書記官長の迫水が部屋に入ってきて鈴木首相にメモを渡していた。鈴木は皆に向かって、「十一時二分、長崎に原爆が投下されました」と発表していた。

この後、阿南と米内は真っ向からぶつかっていた。米内は一日も早い受諾・終戦を考えていたのに対し、阿南は有利な条件を得るためには、最後の一戦を行うべきであると主張していた。また阿南の言動は逐一陸軍の幕僚に伝えられており、もし阿南に弱気の言あれば、彼らが軽挙妄動に走ることもあり得たのである。阿南は想像を絶する凄まじい苦悩の中にあった。そして、不服を唱え辞表提出して内閣を潰すことも出来たのであるが最後まで封印していた。

決着がつかないまま会議が膠着状態となった矢先、文部大臣太田耕造が首相を問い詰めていた。

「ソ連との交渉が失敗し、内閣の意見不統一からみて、この内閣は総辞職するべきであると考えるが首相の意見を伺いたい」

これに対して首相は、「総辞職するつもりはありません。直面する重大問題はこの内閣で解決する決心であります」とやり返していた。そして、出席者の多くが陸相である阿南に向いたが、しかし彼は無言のまま姿勢を崩すことはなかった。

会議中にもかかわらず、阿南は呼び出され、参謀本部次長の河辺虎四郎から内閣打倒・軍政権樹立のクーデター案を打診されたが態度を鮮明にしていない。凄まじい突き上げにも阿南は耐えていた。

決着が付かないまま、戦争指導会議は、天皇を交えた御前会議に移行する。時刻は十日の午前零時三分になっていた。

阿南は、指導会議で未決のまま御前会議を開催することに「違式ではないか」と迫水に詰め寄るが、迫水は「ありのままを天皇に聞いていただくためです」と嘘を答えている。阿南はそれ以上の詮索はせずに同意している。

あくまでも推測の域を出ないが、このまま御聖断に持っていくことを薄々感づいていたが、それに阿南は乗ったのではないかと思う。


御前会議は午後十一時五十分に御文庫付属の地下防空壕で開催される。

出席者は、ポツダム宣言は天皇の地位の保全のみを条件とする受諾派である東郷外相、米内海相、枢密院議長の平沼騏一郎。そして、四つの条件を付けるべきで、条件が拒否されたら本土決戦を主張する受諾反対派である阿南陸相、梅津参謀総長、豊田軍令部総長の三対三に分かれた。

天皇の前で、戦争指導会議同様の議論が侃々諤々繰り返された。

鈴木が頃合いを見計らって、天皇に「二時間議論をつくしましたが、三対三で議決に至りませんでした。この上は誠に異例でおそれ多いしだいでありますが、御聖断を拝しまして本会議の結論といたしたく存じます」

陸海軍首脳は、ご聖断を知らされておらず、一同動揺の面持ちとなった。

天皇「ならば私の意見をいおう。私の考えは外務大臣と同じである」

「戦争がはじまって以来、陸海軍が策定した計画と実行が大変にちがっている。陸相や総長は本土決戦に勝算有りと言っているが、自分はそれを信じられなくなった。本土決戦をやれば機械力に勝る米英軍の前に国民はすべて死に絶え、そして国体も失われる。自分の身はどうなってもかまわない。この戦争は一刻も早く終結しなければならない。敵の受け入れがたい条件を出すのはやめて、国体の護持のみを条件にポツダム宣言を受諾する」

ご聖断は絶対である。当然、これ以上論議をすることはなかった。阿南にとって陸相や総長を信じられなくなったとの一言は相当重く心に響いたはずである。

そして、午前三時に閣議が再開され、御前会議の経過が報告され、一条件案が承認された。

日本が終戦を決意した決定的要因は何かについては、様々な要素の複合要因であったと捉えるべきであると思うが、その中で、原爆投下とソ連の参戦について、どちらのインパクトが強かったのかは、歴史研究者の中で意見が割れている。日本近代史研究の第一人者である半藤一利氏は、『昭和史の論点』(文春新書、二〇〇〇年)の中で、軍部に関しては圧倒的に原爆のショックが大きく、政府はソ連参戦でお手上げ状態になった、と答えている。

そして、この対談本の中で、作家の保阪正康氏は政府も原爆と答えている。

一方、長谷川毅氏は、名著として知られる『暗闘　スターリン、トルーマンと日本降伏』(中央公論新社、二〇〇六年)の中で、ソ連参戦が決定的であったと結論付けている。

筆者の考えとしては、原爆のショックも大きかったが、ソ連参戦が決定的だったのではないか。

日本はソ連との中立条約に縋り、和平の斡旋をお願いしていた。ソ連ならばあるいは降伏条件が緩和出来るという幻想を抱いていたが、ソ連の参戦によりそれが無残にも崩壊したからである。また、本土決戦もソ連との中立を前提に連合国との戦いを想定していたのであって、ソ連参戦によって本土決戦の計画も破綻していたのである。

ポツダム宣言受諾を決めるための会議はソ連の参戦がトリガーになっているし、長崎への投下の報は会議中の出来事であった。

日本は、明治時代、厳密には幕末からロシア（ソ連）の南下を怖れていた。言い換えれば、この南下を押し戻すことこそ、日本が近代を通じて行ってきたことである。その日本がいつの間にか「親ソ、容共」に政策転換していたのである。そして案の定、その見通しは甘かったのである。

十日の午前七時、ポツダム宣言を受諾する電報が、中立国のスイスとスウェーデンの日本公使に送られた。

そして、この二国を経由して連合国に通告されている。

重要な点は「国体護持の定義」であった。当初の受諾案は「天皇の国法上の地位を変更する要求を包含し居らざることの了解のもとに」であった。しかし、ポツダム宣言は一種の条約締結であり枢密院の承認が必要であった。御前会議では枢密院議長である平沼騏一郎が「天皇の国家統治の大権に変更を加ふるが如き要求は之を包含し居らず」と受諾条件のハードルを上げてしまった。東郷の考えでは、「皇室護持、皇室の安泰」という最も狭義な要求で米国が受け入れ易いように図っていたが、枢密院によって「天皇の国家統治の大権」に拡大されてしまったのである。

この日本側の回答に対し米国側は意見が二つに分かれた。

もともと皇室維持条項をポツダム宣言に加えることを主張していたスティムソン陸軍長官は、最後の最後になっても天皇を守ろうとする日本に対して感傷的になっていたといわれる。そして「このまま認めようではないか」と主張していた。また大統領の軍事顧問であり統合参謀本部を仕切っていたリーヒ元帥、そしてジェームス・フォレスタル海軍長官は、スティムソンの意見に賛意を表していた。彼らは、自軍の兵士がこれ以上犠牲になることを憂慮していたのだ。

しかし、国務長官のバーンズは違った。案の定、国家統治の大権について、これは天皇の統帥権を認めることに繋がり看過できない。更には「条件を付けるのはアメリカ側であって、日本ではない」と強硬に主張しスティムソンらの考えに反対する。結局、トルーマン大統領が間に入り、バーンズに回答案を出してもらうことで決着している。

そして発出された回答（後にバーンズ回答と呼ばれたもの）が、日本側を再び二分することになってしまった。

十二日の午前一時、サンフランシスコ放送で、日本の通告に対するバーンズ国務長官の回答文が発表されていた。

「降伏の時より、天皇及び日本国政府の統治権は、連合軍最高司令官に従属（subject to）する」としている。一方で、「日本の政体は日本国民が自由に表明する意思のもとに決定される」となっており、皇室には手を付けないことを間接的に述べているような表現になっていた。外務省は「従属する」は軍部を刺激するため、意図的に「制限のもとにおかれる」と訳した。しかし軍部は独自にsubject toを「隷属する」と訳し、国体護持は確約されていないと主張する事態になってしまった。

※原文（この中のsubject toの訳が問題となっていた）
From the moment of surrender the authority of the Emperor and the Japanese Government to rule the state shall be subject to the Supreme Commander of the Allied powers

しかし、十二日の閣議では、外務省の思惑は外れバーンズ回答では国体護持が確約されていないため再照会をするべきとの意見が多数を占めていた。そして、軍部内の一部では「降伏せず徹底抗戦」の動きにもう一度火が付き、御聖断で受諾に向かった動きに再び暗雲が垂れ込めていた。

これに対し、東郷外相は毅然と「再照会などしたら全てがご破算になる。交渉は決裂する」と再照会に反対していた。

梅津参謀総長、豊田軍令部総長は、参内し、「これでは国体護持は出来ません」と十日の御前会議の決定を白紙に戻して戦争継続を進言していた。

この行動に噛みついたのがポツダム宣言受諾派の米内海相であった。早速、豊田を呼びつけ「軍令部総長でありながら海軍の統制を破ったことは不届きである」と叱りつけていた。

豊田と入れ替わるように海軍抗戦派の軍令部次長である大西瀧治郎中将が大臣室に入ってきた。そして、両者仁王立ちのままテーブルを挟み怒鳴りあっている。米内が大声を張り上げ怒鳴ることなど初めてのことであった。

米内は、十日の御前会議のあと、裏で終戦工作に奔走していた高木惣吉少将に、「言葉は不適当だが、原爆やソ連参戦はある意味で天祐だ。国内情勢で戦いをやめるという非常手段をださなくても済む」と述べていた。天祐であったとは戦後になって内大臣の木戸幸一も同じような感想を述べている。戦争終結には強力なショック（外圧）が必要であったことは素直に認めなければならないだろう。しかし、責任ある国の指導者が「天祐」と表現するのは如何なるものかと思う。

十三日には両総長は、東郷外相のところに最後の談判に来ていた。そこに、再び大西が飛び込んできて、「二千万人の日本人を殺す覚悟でこれを特攻としてもちいれば絶対に負けることはない」と意見具申を申し立てていた。これには両総長も視線を逸らせていたが、東郷は毅然として「もし勝てるのであれば、だれもポツダム宣言など受諾しませんよ」と言って立ち去っていった。

大西は、「特攻の父」と呼ばれ特攻攻撃を発案したといわれているが、実際は、その前に軍令部の計画として既に練られたもので大西はその実行者であったことが戦後明らかになっている。大西の本心は、「特攻は統率の外道であり本来あってはならない戦い方である」と考えていたが、しかし、特攻以外やりようがないところまで追い詰められていた軍の責任を一身に背負い彼は特攻隊を出撃させていた。

そして最後は絶対に勝つとの信念で多くの若者を死なせた以上、屈辱的な敗北だけはどうしても許せなかったのである。

十三日、陸軍軍務局幕僚たちは、阿南のところに出向き、クーデター計画を見せている。クーデター計画の概要は、和平派閣僚を逮捕し、近衛師団によって宮城を占拠するというものであった。計画策定のメンバーの中には、軍事課長の荒尾興功大佐（四十三歳）らの他、阿南の義弟である竹下正彦中佐（三十六歳）や、井田正孝中佐（三十二歳）、椎崎二郎中佐（三十三歳）、畑中健二少佐（三十三歳）など阿南を慕う中堅幕僚が含まれていた。年齢を記したのには訳がある。メンバーの多くは、日清・日露・第一次大戦と連戦連勝陸軍の戦後世代であった。「日本陸軍は負けない。これからも負けることは許されない」と完全勝利主義を叩きこまれた世代であった。

そして彼らをそのように育ててきた側は安易に弱音を吐くことが出来なくなっていたのだ。

阿南は回答を避け、梅津参謀総長とも協議して結論を出すと約束した。翌日、荒尾と一緒に梅津に会うが、梅津は反対しクーデター計画は実質的に崩壊する。阿南は梅津が反対することは分かっていた。最後の土壇場で中堅将校の軽挙妄動を避けるため時間稼ぎをしたと推察する。

（諦めきれない将校たちの一部は、その後決起するが十五日の玉音放送の前には鎮圧されている。その後、椎崎と畑中は自決している）

阿南は鈴木首相のもとに行き、「御前会議を開くのをあと二日待って欲しい」と懇願するが、この時鈴木はにべもなく「時期は今しかありません。どうかあしからず」と即答している。実は、米国では十二日午前零時過ぎに「バーンズ回答」を行ったにもかかわらず、回答のない日本に対して相当苛立っていた。原爆を一時封印していたトルーマンもこれ以上待っても回答がなければ、原爆使用を再考せざるを得ないと考えていたという話もある。

もしそうなった場合、東京に落とされた可能性もあったのである。

十四日十一時に再度御前会議が開催される。出席者には最高戦争指導会議のメンバー六人を含めた総勢二十三名が召集された。会議の席で、阿南陸相、梅津参謀総長、豊田軍令部総長が「バーンズ回答では国体護持が確約されていない。再照会をするべきだ」と意見を述べている。これに対し、天皇は静かに、そして諭すように、「自分の考えは前回の時と変わりない。私は世界の情勢と国内の現状を十分検討した結果、終戦を決意した」「私自身はいかになろうと、万民の生命を助けたいと思う。私が国民に呼び掛ける必要があればいつでもマイクの前に立つ」慟哭する阿南に対し、天皇はいつものように「アナン」と呼びかけ静かに話しかけた。「アナン、心配するな、朕には確信がある」と諭している。

はたしてこの確信とは何を指すのか。

陸軍関係では、スイス・ベルンの公使館附武官であった岡本清福中将が八月十二日に打った「アメリカは天皇制の廃止を考えていない」との電報も、天皇の目に入っており、それが確信にあたるのかもしれない。

また、外務省関係では、十三日午前二時に駐スウェーデン公使岡本季正から「バーンズ回答は天皇の地位の保持を受け入れたものである」という報告も入手している。

更に皇室ルートとして、ジャーナリストでありインテリジェンスに詳しい岡部伸氏は以下の可能性を指摘している。（以下の国王はスウェーデン国王にあたる）

あくまで推測の域を出ないが、国王がイギリス王室に働きかけ、イギリス王室がアメリカに連絡を取り、天皇制存続を条件とすることを引き出し、それを天皇にスウェーデン経由の親電で伝えた可能性は小さくない。

（岡部伸『消えたヤルタ密約緊急電』新潮選書、二〇一二年より）

終戦における最後の場面で、こうしたバックチャンネルの存在がいかに重要であったかを我々は歴史の教訓にしなければならない。

そして、陸軍省に戻った阿南の周りをクーデターの首謀者たちが取り囲んでいた。阿南は御前会議での昭和天皇の言葉を伝え「国体護持の問題については、本日も陛下は確証ありと仰せられた。最後の御聖断は下ったのだ、この上はただただ大御心のままにすすむほかない」と血気に逸る将校を諭していた。それでも納得しないもの達に向かい「不服のものはこの阿南の屍を越えていけ」「君たちが反抗したいのなら先ず俺を斬れ。俺の目の黒いうち妄動は許さん」と大喝を下していた。

その後、終戦の詔書の審議において、阿南は「戦勢日ニ非ニシテ」という原案を「まだ負けていない。これでは戦っている将兵が納得しない」と主張し「戦局必スシモ好転セズ」との文面に修正するように要請する。これに噛みついたのが米内であり、「負けを認めて、ありのままを国民に知らせた方がよい」と反論する。しかし、最後まで部下に気を配った阿南を非難するものは少なかったと思われる。結局米内が折れて、阿南の「戦局必スシモ好転セズ」が採用される。

全てを終えた阿南は、悉く意見を対立させてきた東郷に丁重に礼を言い終えると、在室していた鈴木首相に「終戦の議が起こりまして以来、自分は陸軍の意志を代表して、これまでずいぶん強硬な意見を申し上げ、総理にご迷惑をおかけしたこと、ここに謹んでお詫びを申し上げます。総理をおたすけする立場にありながら、かえって種々意見の対立をきたして、閣僚としてはなはだ至りませんでした。私の真意は一つ、ただ国体を護持せんとするにあったのでありまして、あえて他意あるものではございません。この点はなにとぞご了解いただくように」と謝罪し、これに対し鈴木は、「そのことはよくわかっております。私こそ、貴官の率直なご意見を心から感謝し拝聴しました。みな国を思う情熱からでたものであり何ら意に介しておりませんよ」と答えた。

午後十一時過ぎ、天皇がポツダム宣言を受け入れたことは、ベルンとストックホルムに伝えられる。

十五日の朝に阿南は割腹自決する。

クーデターに参加していた井田軍事課員が直前に駆け付け、「私も、あとからお供いたします」と自決を申し出てきたところ、井田の頬を殴りつけ「日本再建のために生きろ」と思いとどまらせている。

遺書には、「一死以て大罪を謝し奉る」と記されていた。

十二日に阿南は三笠宮邸に参上した際、「陸軍は満州事変以降、大御心にそわない行動ばかりしてきた」とお叱りを受け、それは相当こたえていたという。一方、彼のもとには外地派遣軍より「全軍玉砕を賭して戦おう」という要求が矢のように入ってきていた。これを武装解除させることは並大抵のことではなかったのだ。

阿南の本心とはいったい何であったか。実は抗戦派としての阿南は腹芸で演じていただけで、最初から鈴木とともにこの結末を考えていたとする研究者もいる。一番身近にいた内閣の大番頭（内閣書記官長）であった迫水久常はこの説を取っている。

一方、最後まで本土決戦による一撃講和を捨てていなかったと見るものもいる。

阿南は、クーデターの動きに対して当初、「まるで西郷隆盛の心境のようだ。よく考えてみるから少し待て」と同意するかのような微妙な態度で明言を避けていた。

軽々しく決めつけることは出来ないが、阿南陸相のお陰で、陸軍の軽挙妄動を抑え最悪の事態を回避することが出来たということである。

六百万の大所帯のトップに立ち、まだまだやれると突き上げてくる若手将校を抑えつけて終戦に持っていくことが如何に大変であったか。

迫水久常は、戦後の江藤淳氏との対談で以下に応えている。

「当時軍事課長をしていた荒尾興功という陸軍大佐が、『もし阿南さんが腹を切らなかったら、陸軍は大変なことになってた』というんだ。もしあそこで腹を切らなかったら、全国立ち上がらざるを得なかった。それが腹を切ったからいっぺんに鎮静しちゃった」（江藤淳『もう一つの戦後史』講談社、一九七八年より）

実証史学の第一人者である秦郁彦氏は、阿南について以下に述べている。

略……阿南が敗戦責任を一身に負う覚悟を決め、かなり早い時期から自決の決意を固め、効果的なタイミングを推しはかっていたことにある。死を決した人の眼界はおのずから常人と異なってくる。阿南には最終的決断をぎりぎりまで延ばしても、自決によって収拾できる、という自信と見通しがあったのかも知れない。結果的には阿南の死は、承詔必謹の論理と陸軍の組織論理の相克を、双方ともに立てながらきわどい地点で解消させ、無血終戦を可能にした。（秦郁彦『昭和史の軍人たち』文春学藝ライブラリー、二〇一六年より）

そして翌日十六日には、二千万特攻を叫んだ大西瀧治郎海軍中将も割腹自決している。

エピローグ

原爆開発の科学部門の責任者であるオッペンハイマーは戦後、苦難の道を歩んでいた。古代インドの聖典『バガヴァッド・ギーター』の一節、「我は死神なり、世界の破壊者なり」と言って、原爆を開発したことを後悔したといわれている。

彼は、トルーマン大統領に会った時に「大統領閣下、私の手は血塗られ汚れています」とその苦悩を赤裸々に語っていた。(この時、大統領はハンカチをオッペンハイマーに渡し、「これで拭いたらどうだ。汚れているのは私の手の方で、それは私が考えなければならない問題であり、君が考えることではない」と語ったと伝えられている)そして、戦後は水爆の開発に強く反対し、推進派で後に「水爆の父」といわれたエドワード・テラーと対立してゆく。

一方、彼の妻は共産党員であり、弟夫婦も共産党員であったため、ソ連のスパイであると疑惑を持たれマッカーシーの赤狩りの標的とされていた。そして、プリンストン高等研究所を休職処分される。その後も生涯にわたりFBIの監視下におかれることになる。(スパイ行為は確認されなかった)「原爆の父」と言われ、終戦直後には英雄扱いされていた彼も最後は国家に捨てられたのである。

そして、オッペンハイマーは、六十二歳の時に喉頭癌で死去する。

原爆開発に関わっていたことが喉頭癌の原因であるという直接的な繋がりを立証することは出来ないが因果関係があったとしても不思議ではないだろう。開発の中心メンバーであった、ノイマン、フェルミも癌が原因で五十三歳の若さで死去している。原爆開発の科学者の多くが最初の被爆者であったかもしれないことは歴史の皮肉としか言いようがない。

「二十世紀最高の頭脳」ノイマンが半年かかった爆縮技術を使ったプルトニウム型の原爆の開発をソ連は一九四九年八月に核実験を行い成功させている。戦後の痛手から立ち直っていなかったソ連がこのスピードで開発が可能となったのは、マンハッタン計画の中にスパイを潜ませ研究成果を入手していたからである。ソ連は複数のスパイを獲得していた。

その中でも重要な役割を果たしていたのが以下の四名であると言われている。

クラウス・フックス（一九一一～一九八八）

原爆の主に製造理論の情報をソ連に引き渡していた。そして戦後の一九五〇年、ソ連のスパイであったことを認め服役している。釈放後の一九五九年に東ドイツに移住し、社会主義陣営の原爆開発に多大な功績を残したことで英雄として迎えられ、「カール・マルクス勲章」を授与されている。

デビット・グリーングラス（一九二二～二〇一四）

プルトニウム型原爆の爆縮の技術情報をローゼンバーグ経由でソ連に渡していた。彼もスパイであることを認め服役している。釈放後の一九六〇年にニューヨークに移り住む。

ジュリアス・ローゼンバーグ（一九一八〜一九五三）

グリーングラスから得た原爆の機密情報をソ連に渡していた容疑でFBIに逮捕され一九五三年に死刑になる。これは、スパイ容疑として米国で最初の死刑であった。また彼は、優秀な科学者をスパイとして勧誘していたとも言われている。

セオドア・ホール（一九二五〜一九九九）

飛び級十八歳でハーバード大学を卒業し、最年少十九歳でロスアラモス研究所に抜擢された天才物理学者である。プルトニウム型原爆の詳細情報をソ連のエージェントに渡していた。逮捕は免れていたが晩年、スパイであったことを認めている。

彼らが流した機密情報によってソ連の原爆開発は十年早まったと言われている。

何故、ホールは国を売ってまでソ連に機密情報を渡していたのだろうか。晩年の手記の中で以下に語っている。

「もしドイツ軍を連合国が破った後、世界はどうなるのだろうか？　私が開発に携わる原子爆弾、あの恐るべき兵器をアメリカがソ連に使用するような事態は来ないのだろうか？　もしアメリカの核独占が破れれば、もっと世界は平和になるのではないだろうか？」「唯一の核保有国であるアメリカは、超大国として突出した存在となり、保守反動化して手がつけられなくなるだろう」（山崎啓明『盗まれた最高機密』NHK出版、二〇一五年より）

これは皮肉にも、原爆推進派が語っていた「アメリカが核を独占することで世界が平和になる」との考え方の逆の発想であった。

一方、米国有利な状況でソ連に対する核先制攻撃を主張したのが、京都への原爆投下を強く推していた「悪魔の頭脳」ノイマンであった。

スパイ活動により詳細な技術情報の入手に成功したソ連は、更に不足している科学者を補うためにドイツ人科学者の引き抜き（脅迫や拉致を含める）を始める。その中の最大のターゲットはハイゼンベルクであった。一方、米国の諜報部隊であるアルソスもハイゼンベルクの頭脳がソ連に奪われるのを怖れた。結局、ハイゼンベルクはアルソスに捕まりイギリスのケンブリッジ郊外の邸宅に幽閉される。（扱いは極めて紳士的であったと伝えられる）そこで彼は、広島の原爆投下を聞かされるが、「出来るはずはない」と事実を受け入れることが出来なかったといわれている。

もしヒトラーが反ユダヤ政策を採らず、ユダヤ人科学者を原爆開発に引き入れていれば、原爆はドイツが先行していた可能性があった。皮肉な話である。

一方、スターリンは、「いくら金をかけてもいいから、一日も早く原爆を完成させろ」と関係者を叱咤していた。原爆製造研究所の総指揮官には、秘密警察長官ベリアを指名している。そして、科学者のリーダーは、のちに「ソ連原爆の父」と言われたイーゴリ・クルチャトフである。彼は、スターリンの粛清の恐怖におびえながら、スパイから入手した機密情報、ドイツから連れてきた技術者を使って原爆開発を進める。

更に、ウラン資源の採掘、プルトニウム製造などに、百万人規模の奴隷労働者を動員していた。（因みに、最初の原爆実験に使用されたウランはドイツから押収したコンゴ産である）

一九四九年八月二十九日、カザフ共和国のセミパラチンスク核実験場においてソ連で最初の原子爆弾による実験が成功する。クルチャトフは、実験成功かスターリンによる粛清かの賭けに勝ったのである。ソ連最初の原爆は、長崎に落とされたファットマンのコピーであった。

ドイツやイタリア、そしてハンガリーなどの欧州諸国からアメリカに渡った科学者達によってアメリカは原爆開発に成功する。そしてその成果の多くがスパイを経由してソ連に渡り、四年後にソ連も原爆実験に成功したのである。米国軍部は、ソ連の原爆開発には最低二十年の歳月が必要であると見積もっていたが、スパイ行為などによって大幅に短縮されていた。

更に、スターリンは、一九四四年夏にソ連領内に不時着したＢ29を解体し、ボルト一本に至るまで完全コピーし、ツポレフ４（Tu-4）を一九四七年五月に初飛行させている。そして、ソ連発の原爆の投下を行ったのもツポレフ４であった。第二次大戦の数年後にソ連は米国が約五十億ドルかけて開発した二つの戦略兵器の技術を手に入れたのである。そして、ここから人類は相互確証破壊による米ソ冷戦構造の時代に突入することになる。

そして、ソ連崩壊後も核抑止理論（核兵器による反撃があることで攻撃を思いとどませるという考え方）によって核兵器の使用を回避してきたのが現実である。尚、この理論を体系化したのがトーマス・シェリング（二〇〇五年、ノーベル経済学賞）であり、その考え方の基礎となっていたのが「悪魔の頭脳」ノイマンが考案した「ゲームの理論」（人は互いに相手の出方を考えながら自己の利益を最大化する為の手段を合理的に選択する。これを数学的に分析する理論）であることが何とも皮肉めいた話である。

もし、日本に原爆を投下する前に、ニールス・ボーアやフランク委員会が提言していた「核の国際管理体制」を発足させていたら、世界は違った状況になっていた可能性もあったが、後の祭りである。

米国もドイツの開発したV２ロケットの技術は喉から手が出るほど欲しいものであった。戦後、フォン・ブラウンなどロケット開発を主導してきた科学者の一部は、ドイツからアメリカに渡っていた。そして、彼らが米国の弾道ミサイルの開発やアポロ計画に関わって行くのである。

アメリカは原爆を投下したことで重い十字架を背負うことになる。

米国が何故原爆を日本に投下したかは複合要因であるといえる。なかなか降伏しない日本に対する焦りもあったであろう。一方で、ソ連に対する威嚇という政治的な意図や核兵器の実験的側面も否定できない。これに拍車を掛けたのが議会からの追及をおそれた指導者層の官僚的保身であった。個々の要素の濃淡については研究者によって様々であり、一つに絞り断定することは困難であると言える。

いずれにせよ、もし原爆投下は必要なかったとなれば、アメリカは国家としての名誉の問題に繋がってしまう。従って、アメリカとしては「原爆は多くの人の命を救った」という物語が必要だったのである。

戦後、日本は米国と安全保障条約を締結し友好関係の状態にある。だからと言ってアメリカの原爆投下を非難出来ないと尻込みする必要はない。アメリカの「原爆神話（原爆によってアメリカ人のみならず日本人の多くの命を救った）」をそのままにしておけば、「原爆は必要があれば使用しても構わない兵器」となってしまうからである。

アメリカの最新の世論調査では、「原爆は正当であった」と答えたアメリカの若者は約半数に減少している。投下直後は、ほとんどのアメリカ人が正当と答えたことからすれば隔世の感がある。

本書の最新情報の多くはアメリカが戦後公開したものであり、同国にとって不都合な事実を公表する姿勢についてはアメリカ人の懐の深さを感ずる。時代は少しずつではあるが変わってきていると思いたい。

一方、米国の責任のみに言及し、早期に和平出来なかった日本側の問題を曖昧にしてはならないことも明記しておきたい。

スターリンは、日本がポツダム宣言を受諾後の八月十六日にトルーマンに電文を送っている。「北海道の釧路から留萌市の間の境界線より北側はソ連、南側はアメリカという分割占領を実施したい。北海道の半分ですら獲得できないようでは、ロシア人民は納得しないでしょう」

当初、ソ連内では北海道要求には反対意見も多かった。モロトフやジューコフは反対していたが、この頃にはヤルタ密約を厳格に履行することよりも、如何に戦後の地政学的優位を確保するかが優先していた。

これに対しトルーマンは八月十八日、「私は日本を分割統治する考えはありません。日本の戦後処理はマッカーサー元帥に一任しています」と返信し、スターリンの申し出を瞬殺している。ソ連による北海道占領などとんでもないと明言していた。アジアでも既に東西冷戦は始まっていたのだ。

トルーマンの拒否があったにもかかわらず、スターリンの野望は止まることを知らなかった。

「十五日の玉音放送は、天皇の終戦の意思表示であり、まだ戦争は終わっていない。まだ正式な降伏文書にサインしたわけではない」と主張し戦闘を継続していた。

満州に続き十八日には千島列島に進撃、北端の占守島に上陸を開始していた。ここを守備していた樋口季一郎中将は、占守島防衛の任にあった第九十一師団長に、「断固反撃に転じ、ソ連軍を撃滅すべし」と命じていた。そして、両軍相まみえる壮絶な戦いとなる。死傷者数は日本側が最大約千人に対しソ連側は最大約三千を数えていた（諸説あり）。この戦いによって、日本軍の武装解除が十九日の予定だったものが二十三日までずれこみ、ソ連軍の侵攻作戦は大幅に遅延してしまう。そして、スターリンは二十二日に北海道占領作戦を中止することになる。樋口中将の臨機応変な対応並びに、占守島守備部隊の四日間の奮闘が、スターリンの中止命令に何らかの影響を与えたと推察出来る。（スターリンは十八日にトルーマンから北海道要求を拒絶されてからも北海道侵攻準備を中止していなかった）

因みに、この占守島の戦いの後もソ連は進撃を続け、九月五日に北方四島を占領した後、戦いを止めていた。日本がミズーリー号艦上で降伏文書に署名したのが九月二日であり、その後三日間も戦争を続けたことになる。

一方、満州では、中立条約を破り怒濤の進撃を開始したソ連軍の前に日本はなす術がなかった。数倍の戦力差は埋めようがなく、更に精鋭部隊の多くが太平洋に引き抜かれていた為、戦闘は一方的なものとなっていた。そして、約五十七万人の日本人がシベリアに抑留されてしまう事態となっていた。（スターリンは北海道から五十万人を動員しようと考えていたが計画が頓挫したため、この不足分を補うために満州の日本兵捕虜を抑留したといわれている）

更に、もう一つ満州では思い出したくない後日談がある。

新京の居留人の避難についての歴史的汚点のことである。避難民の順序は当初、民間人・官・軍隊の家族の順であったが、その順番がいつの間にか逆になっていた。更に惨いことに、関東軍は居留民をおいて新京から早々と離脱していた。朝鮮半島を防衛するため、兵を南に引いたのである。居留民からすれば信頼していた関東軍が「居留民を盾にして」逃げたと捉えた。非戦闘員の生命と安全の確保が等閑にされたのである。この話については、戦後多くの方に語り継がれている拭い去ることが出来ない汚点となっている。

一方で何よりも国民の生命と財産を優先した将軍もいたことも伝えておかなければフェアでないであろう。

「戦神」といわれた駐蒙軍司令官根本博中将である。彼は、居留民の安全優先を徹底し、ソ連軍への武装解除を拒否し、四万人の邦人を救っている。彼は、長きにわたるソ連研究によって、ソ連の軍隊が如何なるものであるか知悉していた。降伏後、ソ連軍との抗戦は罪に問われる可能性もあったが死を覚悟し居留民の生命を優先させたのである。付け加えると、親中派であった根本は撤退にあたって多くの中国人の助けを受けていた。

おわりに

本書のテーマの一つである「何故、ほぼ負けが確定したマリアナ沖・サイパンの敗戦後も、戦争を継続してしまったのか」という問題について、あらためて立ち返ってみたいと思う。これらについては議論百出しており、様々な切り口から語られてきたことであり、本書の中でも度々触れてきたが、ここでは、「埋没コスト」、「プロスペクト理論」、「限定合理性と取引コスト理論」といった最新の理論をもとに整理してみたいと思う。これらのフィルターを通して問題点を炙り出せば、現代の様々な問題に対しても有益な知見が得られるからである。

日本軍は劣勢が顕著になった段階で「埋没コスト」の問題に直面していた。つまり和平をしてしまうと、「これまでに犠牲となった英霊の死が無駄になってしまう」（死者への負債）そして、今までの投下してきた「ひと・もの・かね」が回収できなくなる。一方、粘れば粘るほど犠牲者は増え、埋没コストも拡大するというジレンマに陥ってしまったのである。

特に、連合国は、一九四三年十一月のカイロ宣言で、日本が降伏した場合、満州・台湾・澎湖諸島の中華民国への返還、朝鮮の自由と独立を宣言していた。従って、降伏すると、明治以降に積み上げてきたことが全て失われてしまうことになる。それを自分たちの時代に受け入れることは耐え難かったのである。

更に、この状況下において日本が取った行動を説明する場合、行動経済学でいう「プロスペクト理論」を付け加えると分かりやすい。

この理論によると、人間は損失を被る場合にはリスク愛好的（追求的）になる。つまり、人間負けているときは更に負けるリスクを冒してでも大きな賭けに出やすくなるという考え方のことである。当時の日本は、「和平よりも継戦した方がまだわずかながら講和条件が緩和される可能性がある」というリスク愛好的な選択をしてしまったのである。継戦した場合、さらなる被害の拡大があることを承知してリスクを取ったのである。

当時の日本の場合、問題であったのは、政治指導者の多くが軍人であり、過去の栄光や先輩たちの偉業を背負っていた分、この「埋没コスト」の問題が重くのしかかっていた。もし、選挙で選ばれた政治家が国策の意思決定を行い、「シビリアンコントロール」が機能していれば、例えば悪いが「損切り」を早い段階で決断し、リスク愛好的な賭けに打って出ることもなかったはずである。

※シビリアンコントロール
軍事力の統制を公正な選挙で選ばれた国民の代表が行うこと。これによって、軍の暴走を抑制できるとの考え方である。

そしてもう一つ、『限定合理性』の問題を付け加えたておきたい。

戦後、よくいわれるのは、「日本軍（政府）は合理的な判断が出来ず非合理的であった」という指摘である。本当にそう考えることが正しいのか。元防衛大学教授で経営学者でもある菊澤研宗氏は新制度派経済学の立場から以下に述べている。

略……すべての人間は完全に合理的ではなく、完全に非合理的でもないと仮定される。人間は限られた情報の中で合理的に行動しようとするものと仮定される。このような人間仮定のことを「限定合理性」と呼ぶ。つまり、すべての人間は主観的に合理的に行動を行うものと仮定される。

略……すべての人間が限定合理的である場合、たとえある戦略それ自体が優れていたとしても、既存の戦略を放棄し、より優れた戦略へと移行することは難しい。というのも、既存の戦略にコミットしている人々を説得する必要があるとともに、新しい戦略にコミットするように新たに人々を説得する必要もあり、そのために膨大な交渉・取引コストが発生するからである。それゆえ、たとえそれ自体が効率的な戦略であったとしても、それに移行し実行するコストがあまりにも高い場合、この効率的な戦略は選択されないし、実行されることもない。既存の非効率な戦略にとどまることになる。これが、合理的な選択なのである。この意味で、合理性と効率性は必ずしも一致しないのである。(菊澤研宗『組織の不条理　日本軍の失敗に学ぶ』中公文庫、二〇一七年より)

日本の終戦において、もう無理だというところまで徹底的に破壊されないと政策転換が出来なかったのである。

そしてソ連に縋るという政策においても、限られた情報の中で「ソ連に縋ることが最も合理的である」と考え、人間が限定合理的であることを忘れて完全合理的であるとの錯覚のもとで行動してしまったのである。

結果は、ソ連に対する認識を完全に履き違えてしまっていた。

もし日本の政府・軍組織のメンバー全てが、自分が限定合理的であることを理解し批判的議論が展開出来る「開かれた組織」が確立されていれば、「ソ連は対日参戦を決めた」というヤルタ密約情報、「ソ連を当てにするのは危険である」という佐藤ソ連大使の提言、そして「アメリカは表向き無条件降伏であるが、上手く交渉すれば皇室維持は図れる」(アレン・ダレス工作)といった様々なインテリジェンスや現場の意見が関係者に共有され、政策転換をもっと早い段階で進めることが出来たはずである。

特に、天皇が和平を決断し自らトップ六人(首相、外相、陸相、海相、参謀総長、軍令部総長)に内大臣木戸を加えて召集した六月二十二日の御前会議は原爆投下、ソ連参戦前に政策転換を図れる最後のチャンスであった。会議の席で天皇は、「一撃講和」を放棄し、相当踏み込んだ議論を仕掛けたにもかかわらず、出席者は情報共有できず立場を超えた「開かれた論議」は行われなかった。そして、終戦に向けた具体的な方針をクリアーにすることが出来なかったのである。

特に情報共有の問題は重たい。ヤルタ密約情報は様々なルートから入手されていた。小野寺情報をはじめとする陸軍の情報は参謀本部に、そして海軍の情報は軍令部に上げられていた。しかし、こうした重要情報が陸海軍、更には外相や首相といった政府要人の間で共有され、論議されていた痕跡は見当たらないのである。情報までもが「おらが村のもの」扱いされていたとすれば相当根が深い問題と言わねばなるまい。自分の属する組織の情報だけでは限定合理性の殻を破ることは出来ないのである。

従って、シビリアンコントロールの下で、如何に「開かれた組織（社会）」を実現するかが何よりも重要であることを歴史の教訓として学ばねばならない。

しかし、シビリアンコントロールが完全であるかというと話は単純ではない。

アメリカの原爆投下においては、統合参謀本部のトップのリーヒ元帥、アイゼンハワー連合軍総司令官、そしてマッカーサー元帥、ニミッツ元帥といった実戦で戦っていた軍人の多くが「原爆は必要なかった」と冷静に分析していた。特にアイゼンハワーは、七月ポツダム宣言を発出する直前に陸軍長官スティムソンに対し、「日本はすでに敗れているのだから原爆投下は必要ない。米国は必要がないのに原爆を使えば世界中から非難を受けるだろう」と冷静な意見を表明していた。一方、文民であるトルーマン大統領、バーンズ国務長官がマンハッタン計画の軍関係者と共に原爆投下を推し進めていたことが米国内において後味の悪さを残していた。更に付け加えると、戦争を長引かせた無条件降伏に拘っていたのも政治家ルーズベルトとトルーマンである。軍関係者達は、もっと穏当なやり方で早期に戦争を終結させたいと考えていたのである。

振り返れば、ドイツの場合も、ドイツ国防軍指導者の多くは、対西欧戦争や対ソ戦に反対していた。戦争に舵を切ったのは、圧倒的大多数の国民の支持を受けた政治家ヒトラーである。「シビリアンコントロールが機能すれば戦争は抑止される」と定式化出来るほど単純な話ではないことも同じく歴史の教訓として学ぶべきである。

「埋没コスト」、「限定合理性」の問題は、当時の日本特有の問題ではなく、あらゆる世界で起こりうるものである。米国の原爆開発から投下にわたるプロセスからもそれは垣間見えたと思う。

一方、日本特有の問題として明記しておきたいのが機能集団の共同体化の問題である。当時の日本には陸軍共同体、海軍共同体、外務省共同体があった。共同体においては社会（国家）

全体の論理よりも共同体の論理が優先してしまう。更に、共同体間の横の連携は有効的に行われないため、全体最適を図ることが出来ない事態に陥ってしまっていたのである。共同体化した組織は、平時においては平和的に組織運営が図られるが、戦争のような緊急事態において危機管理上の問題点を露呈してしまうのである。

この縦割り組織の弊害は現代日本にも散見される。日本の場合、構成員の責任感が強く自己犠牲的で真面目な分、それが裏目に出てしまうのかもしれない。一方、組織従属的で個が確立されていない点を指摘する向きもある。いずれにせよ政治・経済の様々な組織の中に如何に横串を通すかが今後の課題となろう。

そして共同体化の弊害と併せて、当時の日本は「統帥権」という統治形態上の問題が事態を更に悪化させていた。統帥権とは、軍隊の最高指揮権のことで、天皇大権に属し、内閣が関与する一般の国務から独立し、参謀総長、軍令部総長の輔弼によって行使されるものとされた。そして政府と統帥の整合を図ることを目的としたはずの最高戦争指導会議も原則として政府側(総理大臣、陸軍大臣、海軍大臣、外務大臣)、軍部側(参謀総長、軍令部総長)の六人で構成されていたが、センターとなり会議を主導し責任を持つものはいなかった。この「統帥権の独立」と、本編で指摘した「軍部大臣現役武官制」(陸軍大臣や海軍大臣は現役の軍人以外はなれないという仕組み)という悪法によって日本は亡国の道を辿ったと言っても過言ではない。

現在、日本国憲法では、この刺はきれいに抜かれている。大日本帝国憲法にビルトインされていた軍国主義の萌芽は取り除かれたのである。

＊＊＊＊＊＊

本書を書き終えて痛切に感ずることは、第二次大戦当時の国際社会というものが、いかに腹黒く、そして国益の追求を何よりも優先する非情な世界であったかということである。そして、この原理は現在も変わっていないと思われる。我々は、その厳しい現実に目を背けてはならないのである。従って、保守・リベラルにかかわらず、自分たちが見ている世界、信じている「考え方」がありもしない幻想かどうか、今一度総点検が必要ではないか。そして、立場を超えた開かれた議論を行う必要性を強く感じている。

為政者同士の覇権争い、イデオロギーの違い、更には面子やら情念やらによって犠牲となるのは、いつの時代も一般の人々であることも忘れてはならない。そして、戦争を一度始めたら、収束させるのが如何に難しいかも歴史の教訓として学ばなければならないのである。

最後に以下のメッセージを残したい。

第二次大戦に勝者なし。
戦争に正義無し。

書き終えて

先の大戦について、『壮大なチェス盤、錯誤の連続　ノモンハンから真珠湾』と今回『終戦編』の二回にわたり書いてきた。本来、戦争の悲惨さをもっとなまなましく書くべきとの思いはあったが、政戦略や外交、さらには組織論、インテリジェンスといった面から課題を抽出することを主眼においたため無機質な表現に終始したことをご容赦願いたい。

尚、本書では、東條と対立した石原莞爾、そして終戦内閣における鈴木貫太郎首相、阿南惟幾陸軍大将、東郷茂徳外務大臣について肯定的に書いてきた。しかし、石原は満州事変の首謀者であり、「結果良ければ独断専行も許される」悪例をつくってしまった人物でもある。そして、鈴木、阿南、東郷も結果論ではあるが、原爆・ソ連参戦前に終戦にもっていくことが出来なかった。彼らを批判的にみる論調があることも事実である。人の評価は光の当て方で大きく変わるものであろう。様々な立ち位置からの解釈・意見に関心を持つことをお勧めする。

また、四万人の邦人を救った駐蒙軍司令官であった根本博中将や、占守島の戦いで北海道を救った樋口季一郎中将のような軍人について触れている書籍があまりにも少ないことが気になっていた。ソ連侵攻に際して居留民を置き去りにした関東軍については書くが、根本や樋口には触れないのはフェアでないと思う。ましてや樋口は、一九三七年に第一回極東ユダヤ人大会が開かれた際、ハルピン陸軍特務機関長を務めていた。そこで同盟国であるドイツの反ユダヤ政策を批判しユダヤ人の喝采を浴び、二万人のユダヤ難民に満州を避難所として与え、「東洋のシンドラー」として、杉原千畝と共にゴールデンブック（ユダヤ民族に貢献した人を顕彰する）にその名が記載されている。杉原は文民（外交官）であるから評価するが、樋口は軍人だから評価してはいけないのか。軍国主義が批判されるのは当然としても、人の歴史的評価はもっと公平であるべきではないか。

第二次大戦については、戦後五十年を契機に様々な情報がアップデートされており、できるだけ最新の情報を使いまとめたつもりである。特に、アメリカ側の視点から原爆、無差別大空襲を描くうえで、日高義樹氏、長谷川毅氏、本多巍耀氏、有馬哲夫氏、山崎啓明氏、鈴木冬悠人氏の著書は大変参考になった。この場を借りてお礼申し上げたい。

また、「おわりに」の中で全体を総括するにあたり、参考にさせて頂いた文献は以下の二冊である。現代の政治や企業戦略に対しても参考になる名著である。是非、一読をお勧めしたい。

＊菊澤研宗『組織の不条理　日本軍の失敗に学ぶ』中公文庫、二〇一七年
＊牧野邦昭『経済学者たちの日米開戦』新潮選書、二〇一八年

第二次大戦に関する書籍については、拙著など及びもつかない名著は数限りなくあるが、個々のテーマにスポットを当てられているものが多い。しかも残念ながら世界史と日本史を融合したものが驚くほど少ないのが現状である。個々のテーマを連結させて一つのストーリーに仕立て、一般の学生・社会人の方が通勤途中や隙間時間の中で読めるものは出来ないか。これが私の本書を書くモティベーションであった。

また本編では、「組織と人間」、更には「国家と科学」という普遍的なテーマについても触れてみた。中身については十分掘り下げられているものではないが、考えるきっかけとなって頂けたら幸いである。

最後に、今回も前回『第二次大戦　壮大なチェス盤、錯誤の連続』に引き続き、東京図書出版の編集部の皆様には、大変お世話になった。謝意を表したい。

主な登場人物

国内

【東條内閣】1941年10月18日〜1944年7月22日
内閣総理大臣：東條英機（1884〜1948）
外務大臣：東郷茂徳（1882〜1950）
　1942年9月17日〜谷正之（1889〜1962）
　1943年4月20日〜重光葵（1887〜1957）
陸軍大臣：東條英機（1884〜1948）
海軍大臣：嶋田繁太郎（1883〜1976）
〈統帥〉
陸軍参謀総長（陸軍）：杉山元（1880〜1945）
　1944年2月21日〜東條英機（1884〜1948）
軍令部総長（海軍）：永野修身（1880〜1947）
　1944年2月21日〜嶋田繁太郎（1883〜1976）
【小磯内閣】1944年7月22日〜1945年4月7日

内閣総理大臣：小磯国昭（1880～1950）
外務大臣：重光葵（1887～1957）
陸軍大臣：杉山元（1880～1945）
海軍大臣：米内光政（1880～1948）
〈統帥〉
陸軍参謀総長（陸軍）：梅津美治郎（1882～1949）
軍令部総長（海軍）：及川古志郎（1883～1958）

【鈴木内閣】1945年4月7日～1945年8月17日
内閣総理大臣：鈴木貫太郎（1868～1948）
外務大臣：東郷茂徳（1882～1950）
陸軍大臣：阿南惟幾（1887～1945）
海軍大臣：米内光政（1880～1948）
〈統帥〉
陸軍参謀総長（陸軍）：梅津美治郎（1882～1949）
軍令部総長（海軍）：及川古志郎（1883～1958）
5月29日～豊田副武（1885～1957）

海外

【ヤルタ会談】1945年2月4日〜11日

〈米国〉

大統領：フランクリン・ルーズベルト（1882〜1945）

国務長官：エドワード・ステティニアス（1900〜1949）

〈英国〉

首相：ウィンストン・チャーチル（1874〜1965）

外相：ロバート・イーデン（1897〜1977）

〈ソ連〉

首相：ヨシフ・スターリン（1878〜1953）

外相：ヴャチェスラフ・モロトフ（1890〜1986）

【ポツダム会談】1945年7月17日〜8月2日

〈米国〉

大統領：ハリー・トルーマン（1884〜1972）

国務長官：ジェームズ・バーンズ（1882〜1972）

〈英国〉

前半　首相：ウィンストン・チャーチル（1874〜1965）

後半　首相：クレメント・アトリー（１８８３〜１９６７）
前半　外相：ロバート・イーデン（１８９７〜１９７７）
後半　外相：アーネスト・ベヴィン（１８８１〜１９５１）
〈ソ連〉
首相：ヨシフ・スターリン（１８７８〜１９５３）
外相：ヴャチェスラフ・モロトフ（１８９０〜１９８６）

【米軍】終戦時
ウィリアム・リーヒ　合衆国陸海軍最高司令官（大統領）付参謀長（１８７５〜１９５９）
〈海軍〉
ジェームス・フォレスタル　海軍長官（１８９２〜１９４９）
アーネスト・キング　海軍作戦部長（１８７８〜１９５６）
チェスター・ニミッツ　太平洋艦隊司令長官兼太平洋戦域最高司令官（１８８５〜１９６６）
〈陸軍〉
ヘンリー・スティムソン　陸軍長官（１８６７〜１９５０）
ジョージ・マーシャル　陸軍参謀総長（１８８０〜１９５９）
ダグラス・マッカーサー　南西太平洋方面最高司令官（１８８０〜１９６４）
ヘンリー・アーノルド　陸軍航空軍司令官（１８８６〜１９５０）
レズリー・グローブス　マンハッタン計画最高責任者（１８９６〜１９７０）

【主要参考文献】

〈著者の五十音順〉

*阿部牧郎『危機の外相　東郷茂徳』新潮社、一九九三年
*阿川弘之『米内光政』新潮文庫、一九八二年
*有馬哲夫『歴史問題の正解』新潮社、二〇一六年
*有馬哲夫『原爆　私たちは何も知らなかった』新潮新書、二〇一八年
*有馬哲夫、八幡和郎、飯倉章ほか『日米開戦1941　最後の裏面史』宝島社、二〇二一年
*井上泰浩『アメリカの原爆神話と情報操作』朝日新聞出版、二〇一八年
*江藤淳『もう一つの戦後史』講談社、一九七八年
*生出寿『【反戦大将】井上成美』徳間書店、一九八四年
*太田茂『日中和平工作秘史』芙蓉書房出版、二〇二二年
*岡部伸『至誠の日本インテリジェンス』ワニブックス、二〇二二年
*岡部伸『消えたヤルタ密約緊急電』新潮選書、二〇一二年
*加藤陽子『とめられなかった戦争』文春文庫、二〇一七年
*柄澤好三郎、ＮＨＫ取材班『バックミラーの証言』日本放送出版協会、一九八二年
*日下公人・上島嘉郎『優位戦思考に学ぶ大東亜戦争「失敗の本質」』ＰＨＰ研究所、二〇一五年

＊菊澤研宗『組織の不条理　日本軍の失敗に学ぶ』中公文庫、二〇一七年
＊児島襄『ヒトラーの戦い』文春文庫、一九九二年
＊小松茂朗『陸軍の異端児　石原莞爾』潮書房光人社、二〇一二年
＊小松茂朗『四万人の邦人を救った将軍』光人社NF文庫、二〇一二年
＊坂本多加雄、秦郁彦、半藤一利、保阪正康『昭和史の論点』文春新書、二〇〇〇年
＊茂田宏・小西正樹・倉田高志・川端一郎［編訳］『戦後の誕生　テヘラン・ヤルタ・ポツダム会談全議事録』中央公論新社、二〇二二年
＊鈴木冬悠人『日本大空襲「実行犯」の告白』新潮新書、二〇二一年
＊高橋昌一郎『フォン・ノイマンの哲学　人間のフリをした悪魔』講談社現代新書、二〇二一年
＊寺崎英成／マリコ・テラサキ・ミラー『昭和天皇独白録』文春文庫、一九九五年
＊戸部良一、赤木完爾、庄司潤一郎、川島真、波多野澄雄、兼原信克、松元崇『大東亜戦争』新潮社、二〇二一年
＊西岡昌紀『オッペンハイマーはなぜ死んだか』飛鳥新社、二〇二一年
＊長谷川毅『暗闘　スターリン、トルーマンと日本降伏』中央公論新社、二〇〇六年
＊秦郁彦『昭和史の軍人たち』文春学藝ライブラリー、二〇一六年
＊半藤一利『ソ連が満州に侵攻した夏』文春文庫、二〇〇二年
＊半藤一利『昭和史』平凡社、二〇〇九年
＊半藤一利『昭和史の人間学』文春新書、二〇一三年
＊日高義樹『なぜアメリカは日本に二発の原爆を落としたのか』PHP文庫、二〇一四年

＊堀栄三『大本営参謀の情報戦記』文春文庫、一九九六年
＊本多巍耀『原爆を落とした男たち』芙蓉書房出版、二〇一五年
＊牧野邦昭『経済学者たちの日米開戦』新潮選書、二〇一八年
＊山崎啓明『インテリジェンス１９４１』ＮＨＫ出版、二〇一四年
＊山崎啓明『盗まれた最高機密　原爆・スパイ戦の真実』ＮＨＫ出版、二〇一五年
＊吉田一彦『情報戦略の真実』ＰＨＰエディターズ・グループ、二〇二〇年
＊吉松安弘『東條英機暗殺の夏』新潮文庫、一九八九年
＊渡辺惣樹『第二次世界大戦　アメリカの敗北　米国を操ったソビエトスパイ』文春新書、二〇一八年
＊ＮＨＫスペシャル取材班『ドキュメント　東京大空襲　発掘された５８３枚の未公開写真を追う』新潮社、二〇一二年
＊ＮＨＫスペシャル取材班　松木秀文、夜久恭裕『原爆投下　黙殺された極秘情報』新潮文庫、二〇一五年
＊『ヒロシマを世界に』広島平和記念資料館、二〇一九年
＊『ながさき原爆の記録』（公財）長崎平和推進協会（ピース・ウィング長崎）、二〇一九年

〈おおむね出版年順〉
＊ロナルド・タカキ　山岡洋一訳『アメリカはなぜ日本に原爆を投下したのか』草思社、一九九五年

＊スティーヴン・ウォーカー　横山啓明訳『カウントダウン・ヒロシマ』早川書房、二〇〇五年
＊オリバー・ストーン&ピーター・カズニック　大田直子／鍛原多恵子／梶山あゆみ／高橋璃子／吉田三知世訳「オリバー・ストーンが語るもうひとつのアメリカ史」早川書房、二〇一五年
＊ハーバート・フーバー（ジョージ・H・ナッシュ編）　渡辺惣樹訳『裏切られた自由』草思社、二〇一七年
＊ジョージ・R・キャロン&シャルロット・E・ミアーズ　金谷俊則訳『わたしは広島の上空から地獄を見た』文芸社、二〇二三年

【主要参考映像】

〈おおむね放映年順〉

NHKスペシャル『ドキュメント太平洋戦争　第6集　一億玉砕への道〜日ソ終戦工作〜』（一九九三年八月十五日放送映）

NHKスペシャル『終戦　なぜ早く決められなかったのか』（二〇一二年八月十五日放映）

NHKスペシャル『盗まれた最高機密〜原爆・スパイ戦の真実〜』（二〇一五年十一月一日放送映）

NHKスペシャル『決断なき原爆投下〜米大統領　71年目の真実〜』（二〇一六年八月六日放映）

NHKスペシャル『原子爆弾・秘録〜謎の商人とウラン争奪戦〜』（二〇二三年八月六日放映）

石塚　康彦（いしづか　やすひこ）

1962年埼玉県生まれ。立教大学経済学部卒業後、自動車業界に勤務、退職後、近現代史を中心とした作家活動を開始する。今回は、その第二作目となる。長年にわたり、国内外、リベラル・保守を問わず、様々な書籍を猟歩し、「複眼思考」をモットーに近現代史の研究を進めている。著書に『第二次大戦　壮大なチェス盤、錯誤の連続』（東京図書出版）がある。

第二次大戦　終戦の錯誤

2024年4月29日　初版第1刷発行

著　　者　石塚康彦
発 行 者　中田典昭
発 行 所　東京図書出版
発行発売　株式会社 リフレ出版
〒112-0001　東京都文京区白山 5-4-1-2F
電話（03）6772-7906　FAX 0120-41-8080
印　　刷　株式会社 ブレイン

ISBN978-4-86641-744-8 C0095
Printed in Japan 2024